共通テストは これだけ！

生物基礎

改訂版

大森 徹 著

文英堂

📖 本書の特長と使い方

本書の特長

　この本は，「生物が苦手」「勉強する時間が足りない」といったみなさんの声にこたえるため，共通テスト生物基礎についてわかりやすく丁寧に書いた本です。

①生物基礎の勉強において必要な「理解すること」と「覚えること」をはっきりと示してあります。

②丁寧な説明＋見やすい図と問題演習の繰り返しにより，確かな実力をつけることができます。

③過去問を徹底分析し，共通テストで出る問題とその解き方をくわしく解説。2編構成の第2編では特に実戦的な対策を解説しています。

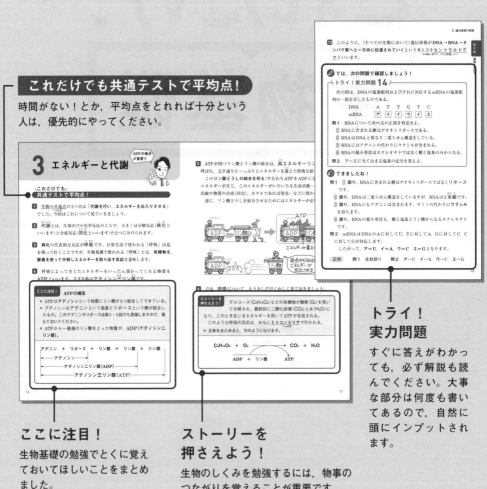

これだけでも共通テストで平均点！

時間がない！とか，平均点をとれれば十分という人は，優先的にやってください。

トライ！ 実力問題

すぐに答えがわかっても，必ず解説も読んでください。大事な部分は何度も書いてあるので，自然に頭にインプットされます。

ここに注目！

生物基礎の勉強でとくに覚えておいてほしいことをまとめました。

ストーリーを押さえよう！

生物のしくみを勉強するには，物事のつながりを覚えることが重要です。

共通テストで平均＋10 点 !!

高得点を目指す人はここまでやってください。

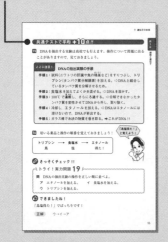

最重要ポイントスピードチェック

最もよく出る内容をピックアップ。短いけど共通テストの解答に役立つ形で出題しています。

共通テストはこうやって攻略!

過去問からタイプ別に問題を解説。共通テスト独特の問題への対応力をつけましょう。

チャレンジ! 実戦例題

見たこともない問題が出ても対応できるよう，問題の読み方・解き方を解説しています。

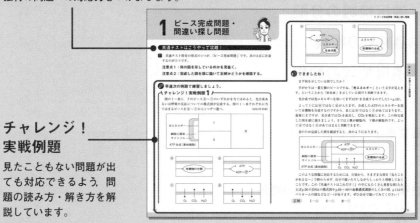

使い方のコツ

①とにかく１ページ目から順に説明を読み，問題をやってみましょう。

②「最重要ポイントスピードチェック」で確認しましょう。

③次に，問題だけを１日１章くらいのスピードで復習します。

④仕上げに，各章から１題ずつランダムに選んで，共通テストと同じ時間で解く練習をし，平均点や平均＋10点を目指しましょう。

もくじ

第1編　生物基礎　知識編

第1章　細胞と遺伝子

第2章　生物の体内環境の維持

第2編　共通テスト実戦対策編

第4章　共通テスト実戦対策

1 生物の共通性と多様性

さあ 始めよう！

1 地球上には，現在知られているだけでも**約190万種の生物がいる**といわれています。すごい数ですね。でも，実際にはまだ知られていない生物もたくさんいるようで，数千万種くらいの生物がいるのではないかといわれています。

2 それぞれの生物が海に，池に，草原に，森林に，高山に，土中にと，さまざまな環境に適応して生活しているのです。それは，長い年月をかけてそれぞれの環境に適応してきたからで，形も生活様式もさまざまです。これを生物の**多様性**といいます。

3 このように多様性がある一方で，**共通点**もたくさんあります。**地球上のすべての生物にあてはまる共通点として，次の4つが挙げられます。**

共通点① **細胞膜によって包まれた細胞からなる。**

共通点② **代謝を行い，エネルギーを出入りさせる。**

共通点③ **遺伝情報としてDNAを持ち，増殖する。**

共通点④ **刺激に対して反応し，恒常性を保つ。**

---

4 このような共通点があるのは，地球上のすべての生物が**共通の祖先から進化した**からなのです。

すなわち，共通の祖先から進化したから共通点があり，長い年月をかけて進化したから多様性があるのです。

5 **ウイルス**という名前はよく耳にしますね。ウイルスは細菌などよりもずっと小さく，遺伝情報は持つものの，特定の生物の細胞に感染してその生物の物質を利用しないと増殖できない，すなわち単独では増殖で

きず，細胞からできているわけでもなく，代謝も刺激に対して反応も行いません。このようにウイルスはちゃんとした生物ではなく，かといって完全な無生物でもなく，**生物と無生物の中間的な存在**といえます。

✏️ さあ，すぐに問題で確認しますよ！

╱ トライ！実力問題 **1** ╱

問 次の記述の中で正しいものをすべて選べ。

① 地球上には約3000万種の生物が知られている。

② 地球上に多くの種類の生物が存在するが，それはそれぞれ異なる祖先の生物から別々に進化したからである。

③ 動物や植物や細菌もDNAを持ち，増殖することができる。

④ ウイルスも遺伝情報と細胞膜を持つが，代謝を行わないので生物と無生物の中間的な存在と考えられている。

⑤ 多くの生物は細胞からなるが，例外的に細胞を持たない生物も存在する。

👍 できましたね？

① まだ知られていない生物まで合わせると何千万種類もいるといわれますが，現在知られている(学名がつけられている)ものは約190万種類です。この数も一応覚えておきましょう。
　└→世界共通の生物名。

② 地球上の生物は，すべて共通の祖先から進化したと考えられています。

③ 動物も植物も細菌もみんな生物です。生物はすべて**遺伝情報としてDNAを持ち，増殖することができます**。正しいです！

④ ウイルスは，遺伝情報は持ちますが，細胞膜はありません。

⑤ すべての生物の体は**例外なく細胞でできています**。

正解　　③

2 細胞小器官の働きと特徴

1つ1つ丁寧に押さえよう！

\これだけでも/
共通テストで平均点！

1 では，生物の共通点のまず1つめ。**細胞**について見ていきましょう。

2 細胞の構造は大きく**核**と**細胞質**に分けられます。まずは**核**です。

核は直径がおよそ**10μm**の球形の構造で，**核膜**という膜に包まれ，内部には**染色体**があります。染色体は**DNA**と**タンパク質**からなる細い糸状の構造で，<u>酢酸オルセイン</u>や<u>酢酸カーミン</u>などの塩基性色素によく染まるので文字通り「染色体」といいます。

→いずれも赤色。

このDNAが遺伝子の本体で，その生物がどのような生物であるかを記した設計図のようなものです。

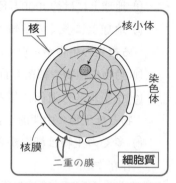

3 **核**はその設計図の保管場所，金庫みたいなものです。設計図にあたるのが**DNA**で，その設計図を入れた封筒にあたるものが**染色体**，その封筒を大切に保管している金庫が**核**というわけです。

4 **核**以外の部分が**細胞質**ですが，ここにはさまざまな構造体（**細胞小器官**といいます）があります。まず，2つの重要な細胞小器官，**ミトコンドリアと葉緑体**について覚えましょう。

1
ミトコンドリア

- 3μm程度の粒状の細胞小器官。
- **呼吸**によって生命活動に必要なエネルギーを取り出す働きがある。

発電所みたいな役割の細胞小器官。

二重の膜

内側の膜が，内側に入り込んでいる。

2 葉緑体

- 光合成（こうごうせい）を行って炭水化物を合成する。
  ⇨ 光合成を行う植物の細胞にしかない。
- 大きさは5μm程度。
  └→ ミトコンドリアより大きい。

光エネルギーを使って製品を合成する工場のような役割の細胞小器官。

二重の膜

5 このほか，植物細胞では大きく発達した液胞（えきほう）が見られます。液胞も細胞小器官で，内部にはタンパク質，糖などの有機物やカリウムイオンなどの無機塩類が蓄えられています。また，花弁の細胞などでは**アントシアン**と呼ばれる色素も含まれていて，これが花弁の色となります。

6 このような液胞の内部の液体にも名前があります。液胞内にあるから液胞液，と言いたくなりますが，「液胞液」という名称はなく，**液胞内の液体は細胞液（さいぼうえき）と呼ばれます。注意しましょう！** 液胞は余った物質などを一時貯蔵する倉庫のようなものだと思っておけばOKです。

だから，最初は小さい液胞が，成長した細胞ではとても大きく発達するのです。

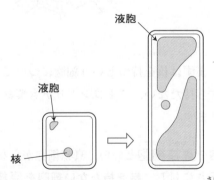

液胞

液胞

核

7 もう1つ，われわれ動物の細胞に見られないものに**細胞壁（さいぼうへき）**があります。文字通り丈夫な壁のようなもので，<u>セルロース</u>という物質が主成分になっています。
└→ 紙などの繊維の成分。

8 逆に，どんな細胞にも必ずあるのは**細胞膜**です。細胞内外を仕切っている膜で，厚さが5〜10nm程度のうす〜〜〜〜い膜です。

9 μmやnmという単位が登場してきたので，確認しておきましょう。

1mの$\frac{1}{1000}$が1mmですね。

その1mmのさらに$\frac{1}{1000}$を**1μm（マイクロメートル）**といいます。

その1μmのさらに$\frac{1}{1000}$を**1nm（ナノメートル）**といいます。

10 そして，細胞質でいろいろな細胞小器官以外の隙間の液体部分を，**サイトゾル（細胞質基質）**といいます。

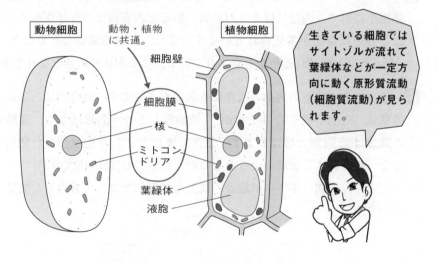

動物細胞　　動物・植物に共通。　　植物細胞

細胞壁
細胞膜
核
ミトコンドリア
葉緑体
液胞

生きている細胞ではサイトゾルが流れて葉緑体などが一定方向に動く原形質流動（細胞質流動）が見られます。

11 ここまでは，まずは核を持つという細胞について見てきたのですが，実は，この核すら持たない，ミトコンドリアも葉緑体も液胞もない，という細胞もあります。

12 **核を持つ細胞**を**真核細胞**といい，真核細胞からなる生物を**真核生物**といいます。それに対し，**核を持たない細胞**を**原核細胞**，原核細胞からなる生物を**原核生物**といいます。

13 大腸菌, 乳酸菌, コレラ菌や**シアノバクテリア**と呼ばれる**細菌**の
仲間が原核生物です。 → ラン藻とも呼ばれ, 光合成を行う。 シアノバクテリアには, **ユレモ**, **ネンジュモ**と
いった生物が含まれます。一方, 動物や植物, そして**カビなどの仲間**で → イシクラゲなど。
ある**菌類**は真核生物です。

14 「菌類」というと細菌と混同しそうですが, **菌類はカビの仲間で真核
生物**, **細菌は原核生物**で, 名前は似ていてもまったく違います。たとえ
ばパンやお酒をつくるときに使う<u>酵母</u>は, 実はカビの仲間で菌類です。 → 酵母菌ともいう。
大腸菌は原核生物, 酵母は真核生物…ややこしいですね！

📝 整理しておきましょう！

> **原核生物**…核を持たない細胞(原核細胞)からなる生物
>   例) 大腸菌, コレラ菌, シアノバクテリア(ユレモ, ネンジュモ)
> **真核生物**…核を持つ細胞(真核細胞)からなる生物
>   例) 動物, 植物, 菌類(酵母など)

15 同じ真核生物でも, 動物と植物と菌類では細胞の構造に違いがありま
す。**葉緑体は植物細胞にはあるけれど**, 動物や菌類の細胞にはありませ
ん。**動物細胞には発達した液胞も細胞壁もありませんが**, 植物や菌類の
細胞にはあります。ややこしいですね, まとめておきましょう！
持っている場合は○, 持っていない場合は×です。

	原核生物	真核生物		
		動物	植物	菌類
核	×	○	○	○
ミトコンドリア	×	○	○	○
葉緑体	×	×	○	×
発達した液胞	×	×	○	○
細胞壁	○	×	○	○
細胞膜	○	○	○	○

16 このように，原核生物には核がありませんが，DNA は細胞の中にちゃんと存在します。核膜がないので，たとえば，ちゃんと設計図は持っているけれど，それを入れる金庫がないので設計図が部屋に置きっぱなしという感じです。

17 また，原核生物には葉緑体もありませんが，ユレモやネンジュモといった**シアノバクテリアは光合成を行います**。光合成を行う場である葉緑体がないのに，なぜ光合成が行えるのでしょう？

18 勉強部屋があると勉強できるのは当然ですが，別に勉強部屋がなくても勉強に必要な参考書(もちろん，『共通テストはこれだけ！』)と筆記用具，机があれば勉強することはできます。シアノバクテリアは細胞の中に葉緑体という部屋はないけれど，光合成を行うのに必要な道具(物質)をちゃんと持っているので，光合成をすることができるのです。

19 ワンルームに設計図も勉強道具も台所用品も散らばっていて，その部屋ですべての家事や仕事を行う，それが原核細胞なんですね。もちろん，勉強道具があるだけよりも，やっぱりきちんと仕切られた場所でやるほうが集中して勉強できるでしょう。真核細胞ではそれぞれの働きを，別々の細胞小器官の中で能率よく行っているのですね。

ワンルームで
すべてを行う家
（原核細胞）

目的別に部屋が設けられた家（真核細胞）

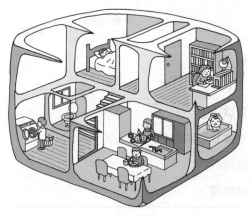

20 このように，すべての生物は**細胞からなるという共通点**を持ちながら，**細胞構造には違いがあるという多様性**もあるのです。

✎ では，問題で確認しましょう！

⊢ トライ！実力問題 **2** ⊣

問　次の①～⑧のうちから正しいものをすべて選べ。
① 大腸菌や酵母のような原核生物には核がない。
② ユレモやカナダモは光合成を行うので葉緑体を持つ。
③ 原核細胞にも細胞壁がある。
④ 原核細胞には核がないのでDNAもない。
⑤ すべての細胞には細胞膜がある。
⑥ サイトゾル(細胞質基質)に存在する液体を細胞液という。
⑦ 細胞膜の厚さは約10μm(マイクロメートル)である。
⑧ 液胞内には糖や無機塩類やクロロフィルなどの色素が含まれる場合がある。

👍 慎重に文を読みましょうね！

① **大腸菌**は**細菌**の仲間で**原核生物**ですが，**酵母**は**菌類**で**真核生物**です。
② どちらも光合成を行いますが，カナダモは種子植物(単子葉類)で葉緑体を持ち，ユレモは原核生物(**シアノバクテリア**)で葉緑体を持ちません。
③ 原核細胞にもちゃんと**細胞壁**はあるんです！
④ 原核細胞には**核**はありませんが，**DNA**はちゃんと持っています。
⑤ 原核細胞にも真核細胞にも，すべての細胞には**細胞膜が必ずあります**！
⑥ サイトゾルではなく，液胞中の液体を**細胞液**というのでした。
⑦ 細胞膜の厚さは，10μmではなく約10**nm**(ナノメートル)です。
⑧ クロロフィルは葉緑体に含まれる色素で，**液胞中に含まれる色素**はアントシアンです。

正解　③・⑤

21 生物の細胞は，構造だけでなく，大きさにも多様性が見られます。

ふつうの細胞は 数十 µm（マイクロメートル）程度の大きさですが，単細胞生物のゾウリムシは **200 µm**，ニワトリの卵細胞（我々が食べている黄身の部分）は 3 cm くらいあります。ヒトの肉眼はおよそ **0.1 mm**（100 µm）間隔の2点を識別できる（これを**分解能**といいます）ので，これらは肉眼で見ることができる細胞だといえます。

また，ヒトの**赤血球**は **7～8 µm** と少し小さめですし，細菌などの原核生物は **数 µm** 程度の大きさしかありません。**光学顕微鏡の分解能**はおよそ **0.2 µm**（200 nm）です。細菌であっても十分光学顕微鏡で見ることができます。本当に，大きさに関してもさまざまですね。

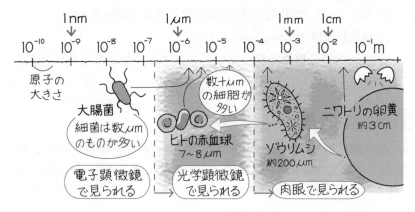

22 細胞の学習の最後に，細胞の研究の歴史を軽く見ておきましょう。

フックは，顕微鏡で**コルクの切片**（→ コルクガシの樹皮から作られる。）を観察し，たくさんの小部屋からなることを発見して，これを**細胞 (cell)** と命名しました（1665年）。これが細胞の発見なのですが，実際に見たのは死んだ細胞の**細胞壁**の部分だけでした。

23 **シュライデン**は，**植物の体は細胞からできている**と提唱（1838年）し，翌年**シュワン**は動物の体も細胞からできていると発表し「**生物の体は細胞が基本単位である**」という**細胞説**（さいぼうせつ）が示されました（1839年）。

では，問題で仕上げましょう！

トライ！実力問題**3**

フックは ア の切片を顕微鏡で観察し，たくさんの小部屋からなることを発見しこれに細胞と名付けた。しかしフックが観察したのは イ の部分であった。

ヒドラの細胞を顕微鏡で観察した。この細胞の大きさは大腸菌よりも大きくゾウリムシよりも小さかった。

問1 ア ・ イ に入る最も適当な組み合わせを選べ。

	①	②	③	④	⑤	⑥
ア	酵母	酵母	ゾウリムシ	ゾウリムシ	コルク	コルク
イ	細胞膜	核	核	細胞膜	細胞膜	細胞壁

問2 ヒドラの細胞の大きさの範囲として最も適当なものを選べ。

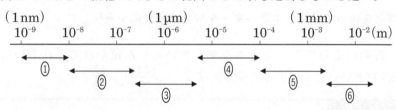

 できましたね！

問1 フックが観察に使ったのはコルクで，実際に見たのは細胞壁の部分でした。

問2 ヒドラの細胞の大きさなんて覚えてないから解けない…なんていわなくて大丈夫ですね。大腸菌のような細菌は数μmで，それより大きいというので④〜⑥に絞れます。また，ゾウリムシは約200μmで，それより小さいので⑤〜⑥ではありません。よって④!! ふつうの細胞が数十μmということを覚えておけば，そこからも判断できます。

正解 問1 ⑥　問2 ④

15

3 エネルギーと代謝

ATP の働き
が重要!!

1 生物の共通点の2つ目は「**代謝を行い，エネルギーを出入りさせる**」
→p.6
でした。今回はこれについて見ていきましょう。

2 代謝とは，生体内での化学反応のことで，大きくは分解反応（異化と
いいます）と合成反応（同化といいます）の2つに分けられます。

3 異化の代表的な反応が**呼吸**です。日常生活で使われる「呼吸」は息
を吸って吐くことですが，生物基礎で使われる「呼吸」とは，**有機物を，
酸素を使って分解しエネルギーを取り出す反応**を意味します。

4 呼吸によって生じたエネルギーをいったん預かってくれる物質を
ATPといいます。正式名称は**アデノシン三リン酸**です。

ここに注目！ ** ATPの構造**

- ATPは**アデノシン**という物質にリン酸が3つ結合してできている。
- アデノシンは**アデニン**という塩基と**リボース**という糖が結合し
  たもの。このアデニンやリボースは第5・8回でも登場しますので，覚
  えておいてください。
- ATPから一番端のリン酸をとった物質が，**ADP（アデノシン二
  リン酸）**。

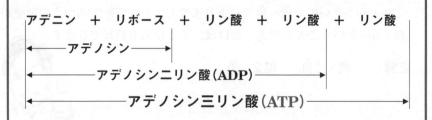

第1章　細胞と遺伝子

5　ATPが持つリン酸とリン酸の結合は，**高エネルギーリン酸結合**と呼ばれ，文字通りた〜っぷりとエネルギーを蓄えた特殊な結合です。

　この**リン酸どうしの結合を切る**（すなわちATPをADPに分解する）とエネルギーが生じ，このエネルギーがいろいろな生命活動…たとえば筋収縮や物質の合成（同化），ホタルであれば発光…などに使われます。

　逆に，リン酸どうしを結合させるためにはエネルギーが必要です。

エネルギーが蓄えられている

結合が切れるとエネルギーが放出される

6　では，**呼吸**について，もう少しだけくわしく見ておきましょう。

> **ストーリーを押さえよう！**
> グルコース（$C_6H_{12}O_6$）などの有機物が酸素（O_2）を用いて分解され，最終的に二酸化炭素（CO_2）と水（H_2O）になり，このとき生じるエネルギーを用いてATPが合成される。
>
> このような呼吸の反応は，おもに**ミトコンドリア**で行われる。
> └→p.8

● 全体をまとめると，次のようになります。

7 次は合成の反応，**同化**です。同化にはいろいろな種類がありますが，一番代表的なものは**光合成**です。

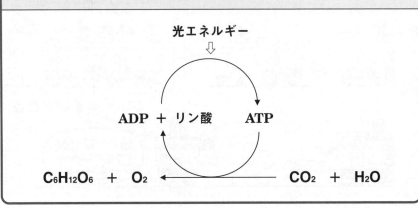

> ストーリーを
> 押さえよう！
>
> 光合成は，**光エネルギー**を用いて，**二酸化炭素と水から**
> **グルコースのような有機物と酸素を生じる反応。**
>
> このとき，まず光エネルギーを使ってATPを合成しておき，この
> ATPのエネルギーを用いて有機物を合成する。
>
> この光合成の反応は，植物細胞の**葉緑体**で行われる。

光エネルギー

ADP ＋ リン酸　　　　ATP

$C_6H_{12}O_6$ ＋ O_2 ←　　　　　CO_2 ＋ H_2O

8 二酸化炭素と水からグルコースを合成するのが**光合成**，グルコースを二酸化炭素と水に分解するのが**呼吸**です。**ちょうど逆の反応**が行われるのですね。

9 このとき，光エネルギーを直接使って有機物を合成するのではなく，いったん**光エネルギーをATPに変え，ATPのエネルギーを用いて有機物を合成**しています。

　同様に，呼吸でグルコースを分解して生じたエネルギーをそのまま使って筋収縮するのではなく，呼吸で生じたエネルギーをいったんATPに変え，そのATPのエネルギーを使って筋収縮しているのです。

10 代謝では化学反応に伴ってエネルギーが出入りしますが，その**エネルギーのやり取りは**，このように，**必ずATPを介して行われている**のです。

ちょうどお金みたいなものと思いませんか？

お父さんが会社で働いて，お米やおかずをもらってくるのではなく給料としてお金を受け取り，そのお金でごはんを食べたり服を買ったりする…というように，生活に必要な物や仕事のやりとりにはお金が仲立ちをしていますね。このような意味からATPは「**エネルギーの通貨**」のようなものだといわれます。

11 エネルギーの通貨としてATPを用いるのも，地球上のすべての生物にあてはまる特徴です。地球上のすべての生物がこのATPという物質をエネルギーの仲立ちとして利用しているのです。

これも，地球上のすべての生物が共通の祖先から進化したからなのでしょうね。

 では，軽く問題で確認しましょう！

╱ **トライ！実力問題 4** ╱

問 次の文の正誤をそれぞれ判定せよ。
① ATPはアデニンにリン酸が3つ結合した物質である。
② 呼吸で生じたエネルギーは，直接筋収縮などの反応に用いられることはない。
③ 光合成ではATPが消費されるが，ATPを合成する反応は行われない。
④ 真核生物ではエネルギーの授受にATPが用いられるが，原核生物では異なる物質が用いられる。

👍 わかりましたか？

① ATPは**アデノシン三リン酸**のことでしたね。すなわち，**アデノシンにリン酸が3つ結合した物質**です。アデノシンは，アデニンとリボース（糖の一種）が結合した物質です。

② その通りです！呼吸で生じたエネルギーもいったんATPに変えられてから筋収縮などの反応に用いられます。

③ 光合成でも，まず光エネルギーを用いてATPを合成し，そのATPを使ってグルコースなどの有機物を合成します。

④ 真核生物でも，原核生物でも，地球上の**すべての生物はATPを用いています。**

正解   ① 誤   ② 正   ③ 誤   ④ 誤

4 酵 素

「自分は変わらず他の物質を変化させる」これだけ！

\これだけでも/
共通テストで平均点！

1 呼吸や光合成などの代謝の反応を進めるためになくてはならない物質が**酵素**です。

「酵素」という名称はCMなどでもよく耳にしますね。「酵素パワーの洗剤」，「酵素ジュース」とか…。では，酵素って，いったい何者なんでしょう？

2 **過酸化水素水**を試験管に入れても，ほとんど何も反応が起こりません。しかし，過酸化水素水に**酸化マンガン(IV)**という物質を加えると，過酸化水素が分解して水と酸素になり，酸素の泡が激しく放出されます。
└二酸化マンガンとも呼ばれる。

このとき酸化マンガン(IV)自身は反応の前後で変化せず，過酸化水素が分解する反応を促進しているのです。このように**自分自身は変化せず，化学反応を促進させる物質**を**触媒**といいます。

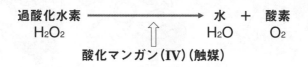

$$\text{過酸化水素} \xrightarrow[\text{酸化マンガン(IV)(触媒)}]{} \text{水} + \text{酸素}$$
$$H_2O_2 \qquad\qquad H_2O \quad O_2$$

3 酵素もこの触媒と同じような働きがあるのです。

細胞中には**カタラーゼ**という酵素が含まれています。このカタラーゼも，酸化マンガン(IV)と同じく，過酸化水素を水と酸素に分解する反応を促進します。そのため，過酸化水素水にカタラーゼを加えても激しく酸素の泡が放出されます。でも，カタラーゼ自身は変化しません。

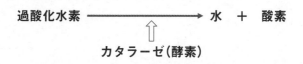

$$\text{過酸化水素} \xrightarrow[\text{カタラーゼ(酵素)}]{} \text{水} + \text{酸素}$$

4　生体内にはカタラーゼだけではなく，非常に多くの種類の酵素が含まれています。

　　デンプンを分解する**アミラーゼ**，タンパク質を分解する**ペプシン**などは細胞外で消化に働く酵素です。それ以外にも，呼吸の反応や光合成の反応など，細胞内の代謝の反応にも多くの酵素が働いてくれるおかげで我々の生命活動が成り立っているのです。

5　酵素が作用する物質を**基質**といいます。カタラーゼの場合は過酸化水素が基質，アミラーゼの場合はデンプンが基質です。

6　このように酵素によって作用する物質が異なります。酵素がそれぞれ特定の物質にのみ作用するという性質を**基質特異性**といいます。

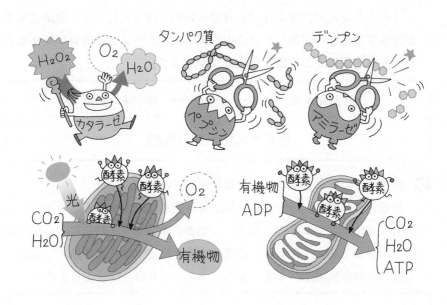

では，問題です！

トライ！実力問題 **5**

　過酸化水素水に肝臓片を加えると激しく泡が出たが，しばらくすると泡が出なくなった。以下の問いに答えよ。

問1　発生した泡は，何という物質か。最も適当なものを1つ選べ。

① 二酸化炭素　　② 酸素　　③ 水　　④ 窒素

問2　肝臓片に含まれていたと考えられる物質は何か。

① アミラーゼ　　② ペプシン　　③ 酸化マンガン(Ⅳ)

④ カタラーゼ

問3　泡が出なくなった理由として最も適当なものを1つ選べ。

① 酵素の働きがなくなったから。

② 過酸化水素が消費されたから。

③ 酵素が働く環境が悪くなったから。

④ 気体が飽和に達したから。

問4　問3で答えた理由を確かめるために，どのような実験をしてどのような結果になればよいか。最も適当なものを1つ選べ。

① 肝臓片を追加して，再び泡が激しく出ればよい。

② 過酸化水素を追加して，再び泡が激しく出ればよい。

③ 肝臓以外の臓器の一部を加えて，再び泡が激しく出ればよい。

④ 過酸化水素以外の物質を加えて，再び泡が激しく出ればよい。

👍 わかりましたか？

問1　**過酸化水素が分解されて泡が出た**ので，生じた気体は**酸素**です。水も生じますが，気体となって発生するわけではありません。

問2　**過酸化水素の分解を促進**したので，**カタラーゼ**が含まれていたとわかります。実は，このカタラーゼという酵素は，肝臓だけでなくいろいろな細胞に含まれています。

　なので，もし問題で「ダイコンをすりつぶして」と書いてあっても，「もやしを刻んで」と書いてあっても「カタラーゼ」が含まれていると

思って大丈夫です。カタラーゼと同じ働きを行う物質でよく知られているのが**酸化マンガン(IV)**ですが，これは酵素ではなく，生体内にはありません！

問3 酵素は**触媒**であり，すなわち**自分自身は変化しない**というのが大きな特徴です。したがって，過酸化水素がどんどん分解されてもカタラーゼはちゃんと残っていて，**カタラーゼがなくなってしまうということはありません**。ここでは過酸化水素のほうが全部分解されて，なくなってしまったと考えられます。

　酸化マンガン(IV)を使った実験であっても，泡が出なくなったら，それは過酸化水素がなくなったのであって，酸化マンガン(IV)がなくなったからではありません。酸化マンガン(IV)は触媒で，自分自身は変化しないからです。

問4 実験で使った物質の1つをもう一度追加してみて再び泡が出れば，泡が出なくなったのはその物質がなくなったからだとわかります。過酸化水素がなくなったために泡が出なくなったのですから，過酸化水素を加えます。カタラーゼはなくなっていないので①や③のようなカタラーゼを含むものを追加しても泡は出ません。もちろん，それ以外の物質を入れても泡は出ません。

正解　問1 ②　問2 ④　問3 ②　問4 ②

次は**DNA**と
遺伝情報について
マスターしよう！

24

5 DNAの構造

遺伝情報に関する基本！しっかり覚えよう。

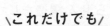

\これだけでも/
共通テストで平均点！

1 遺伝情報を担う物質が**DNA**です。DNAは略称で，正しい名称は**デオキシリボ核酸**といいます。

2 糖とリン酸と塩基からなる物質を**ヌクレオチド**といい，DNAはこのヌクレオチドが多数結合した物質です。

3 DNAを構成する糖は**デオキシリボース**という名称の糖で，塩基には**アデニン，グアニン，シトシン，チミン**の4種類があります。

すなわち，DNAを構成するヌクレオチドには，次の4種類があることになります。

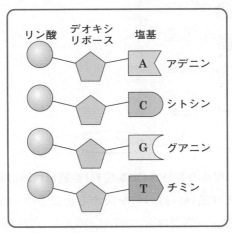

4 これからは，それぞれの塩基を次のようにアルファベット1文字の略号で表すことにします。

> アデニン＝**A**，シトシン＝**C**，
> グアニン＝**G**，チミン＝**T**

5 DNAは，**ヌクレオチドのリン酸と糖**(デオキシリボース)が結合して長い**ヌクレオチド鎖**となり，さらにこのヌクレオチド鎖が2本向かい合わせに並び，**塩基**の部分で弱く結合して1つの分子になっています。

そして，これが全体としてらせん状をした，**二重らせん構造**をしています。

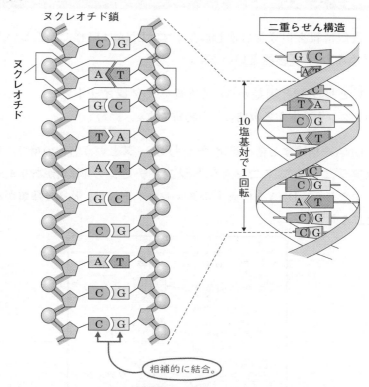

6 このなかで，**塩基の並び方(塩基配列)が遺伝情報の暗号**となっているのです。たとえば眼(虹彩)の色を決める遺伝子の一部ではATAGCGAと並んでいると黒い眼だけど，ATACGGAなら青い眼になるという感じです。なので，この塩基配列は生物の種類によっても，もちろん異なります。

7　このDNAの二重らせん構造を形づくる1つの決まりがあります。それは，2本鎖が向かい合わせになる塩基のペア（**塩基対**）の関係が決まっているのです。**AとTがペアになり，GとCもペアとなります。**

　このように，ペアになることが決まっている性質を**相補性**といいます。

8　たとえば，DNAの1本のヌクレオチド鎖の塩基が次のようだったとします。向かい合わせの塩基を略号で書き込んでみましょう。

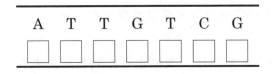

　できましたね。次のようになります。

A	T	T	G	T	C	G
T	A	A	C	A	G	C

9　このDNAの**A**の数を数えてみましょう。上の鎖で1個，下の鎖で3個，合計4個ですね。では，**Tの数は？**

　上の鎖で3個，下の鎖で1個，合計4個ですね。

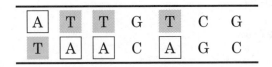

10　AとTが相補的な関係になっているのですから，2本鎖全体で数えると**Aの数とTの数は必ず等しくなる**はずです。

11　2本鎖全体でGの数は3個ありますね。ではCの数は？

　数えてみなくてもCも3個あるはずです。

12 このように2本鎖全体で数えると，**Aの数とTの数は等しい**，**Gの数とCの数も等しい**ということがいえます。

　いろいろな生物のDNAについて，含まれる塩基の数の比率にこのような規則性があることを示したのはアメリカの**シャルガフ**で，これを**シャルガフの規則**といいます。

13 このような実験結果などを踏まえ，最終的にDNAの二重らせん構造を解明したのは**ワトソンとクリック**です。

🖊 シャルガフの規則は，次のように問われます！

┤ **トライ！実力問題 6** ├

　ある二重らせん構造をしたDNAの塩基組成を調べるとAの比率が23％であった。このDNAに含まれるGは何％か。

👍 わかりましたか？

　Aの数とTの数が等しいのですから，Aが23％であればTも23％です。よって100％からAとTの割合を引けば，GとCの合計が出ます。

$$100-(23+23)=54$$

　Gの数とCの数も等しいので，これを2で割ればGの割合になります。

$$54\div2=27$$

正解　　**27**％

次のように出題されることもあります。

┤ トライ！実力問題 **7** ├

DNAを構成する各塩基の割合をA，G，C，Tとすると，次の式のうち，どの生物についても同じ値になるものをすべて選べ。

① $\dfrac{C+T}{G+A}$　② $\dfrac{A+T}{G+C}$　③ $\dfrac{T}{A}$　④ $\dfrac{G}{T}$

👍 **できましたか？**

CはGと同じ，TはAと同じなので，①の式を変形すると次のようになり，どんな生物でも値は1になってしまいます。

$$\frac{C+T}{G+A} = \frac{G+A}{G+A} = 1$$

②の式も変形すると $\dfrac{A+T}{G+C} = \dfrac{2A}{2G} = \dfrac{A}{G}$ となりますが，生物の種によって塩基配列が異なり，Aの数とGの数の割合も生物によって異なります。同じように考えると，③も，どんな生物でも1となりますが，④は生物によって異なる値になります。

正解　　①・③

塩基の計算は
ぜひマスターしよう！

14 DNAの塩基に関して，応用問題を練習しましょう。

✏️ 注意して解きましょう！

╱ トライ！実力問題 **8** ╱

あるDNAのAとTの合計が54％で，一方の鎖（H鎖とする）の28％がGであった。ではH鎖と対をなす鎖（L鎖とする）の何％がGか。

👍 なかなか手ごわいですよ！

まず，AとTの合計が54％なのだから，GとCの合計は46％とわかります。これらは2本鎖全体での割合ですね。でも，28％がGというのは1本の鎖についての割合です。

次のようにメモしましょう。
H鎖の塩基を A，T，G，C とし，
L鎖の塩基を Ⓣ，Ⓐ，Ⓒ，Ⓖ とします。

H鎖	A	T	G	C
L鎖	Ⓣ	Ⓐ	Ⓒ	Ⓖ

2本鎖全体（H鎖＋L鎖）でGとCの合計が46％なので
G＋C＋Ⓒ＋Ⓖ＝46％ です。

ここで G の数と Ⓒ の数は等しく，C の数と Ⓖ の数は等しいので，
G＋C＋Ⓒ＋Ⓖ ＝ G＋C＋G＋C ＝ 2（G＋C） ＝ 46％

これがH鎖とL鎖の塩基の中での割合ですが，H鎖の塩基の数とL鎖の塩基の数も等しいので，H鎖塩基の2倍の中での割合といえます。よって，H鎖の塩基の中での割合は G＋C＝46％ となります。

すなわち，2本鎖全体でのGとCの合計が46％であれば，一方の鎖の中でのGとCの合計の割合も46％になります。H鎖でのGの割合（G）が28％なので，C＝46％－28％＝18％

よって，求められているL鎖の中でのG（Ⓖ）も18％となります。

正解 **18％**

15 最後に，DNAの長さを求める問題も見ておきましょう。

✏️DNAの構造を思い出しながら取り組みましょう！

⊣ トライ！実力問題**9** ⊢

あるDNAは1.0×10^6個のヌクレオチドからなる。ヌクレオチド対間の距離を3.4×10^{-7} mmとすると，このDNAの長さは何mmか。

👍桁数にびっくりせずに解けましたか？

個数がわかっていて，その間の距離も書いてあるので，**個数×距離で長さになる**のですが，1つだけ注意することがあります！

DNAの分子は，次のように，ヌクレオチドがたくさん結合した鎖が2本向かい合わせに並んだものです。

ヌ—ヌ—ヌ—ヌ—ヌ—・・・・・・・・・ ヌ
ヌ—ヌ—ヌ—ヌ—ヌ—・・・・・・・・・ ヌ
└─┘
3.4×10^{-7} mm

◀─────── DNAの長さ ───────▶

> 正確には個数ー1だけど，数が非常に大きいのでそのままでOK！

すなわち，DNAの長さは1本鎖の長さで，全部で1.0×10^6個のヌクレオチドがあっても，1本の鎖にはその半分のヌクレオチドしかないことに注意しなければいけません。

よって　1.0×10^6個$\times \dfrac{1}{2} \times 3.4 \times 10^{-7}$ mm $= 1.7 \times 10^{-1}$ mm

正解　1.7×10^{-1} mm

6 遺伝情報の分配

分裂期と間期のそれぞれで起こっていることをつかもう。

共通テストで平均点！

1 私たちの体を構成する細胞を生殖細胞と区別して**体細胞**といいます。体細胞は**体細胞分裂**によって増えていきます。

2 細胞分裂が終わってから次の分裂が終わるまでを**細胞周期**といいます。細胞周期は**分裂期**と**間期**の2つの期間で構成されます。

3 まず**間期**は，顕微鏡で見ていても何の変化も見えませんが，ちゃあんと分裂の準備を行っています。

4 間期は次の3段階からなります。

$$G_1\,期 \longrightarrow S\,期 \longrightarrow G_2\,期$$

（DNA合成準備期）　（DNA合成期）　　（分裂準備期）

5 S期（DNA合成期）は文字通りDNAを合成している時期ですが，その準備を行うのがG_1期です。ちょうど，プリントをコピーするためには，まずコピー機のスイッチを入れたり紙をセットしたりする必要があるのと同じで，その準備の時期がG_1期といえます。

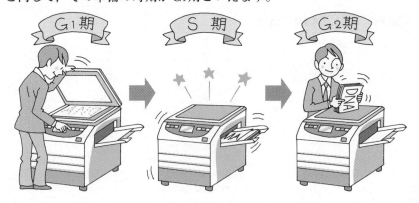

6 コピーをしている間が**S期**で，DNAがコピー（**複製**）されるのでS期の間に**DNA量が2倍**にまで増えることになります。コピーをし終わってから，コピーが終わった紙をそろえたりする必要がありますが，これに相当するのが**G₂期**です。

7 間期が終わると**分裂期**です。
分裂期は，**前期**，**中期**，**後期**，**終期**の4段階からなります。

8 染色体のDNAはタンパク質と結合して糸状をしていますが，これがどんどんと折りたたまれて，折りたたまれて，折りたたまれて，太く凝縮し，顕微鏡の下で観察できる状態になります。これが**前期**です。一方，核膜は見えなくなります。

9 前期で見えてきた染色体はコピーが終わっているので，2本の染色体が1か所でつながったような形をしています。

1本の染色体に二重らせん構造のDNAが1本含まれています。

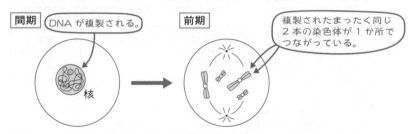

10 さらに，染色体は1本を父親から，もう1本を母親からもらうので，
└→ 精子と卵が受精したとき。
同じタイプのものが2本ずつあることになります。このようにセットに
└→ 前期～中期では **9** の状態の染色体が2組。
なった同形同大の染色体を**相同染色体**といいます。体細胞の相同染色体がn対ある場合，その細胞には$2n$本の染色体があることになります。

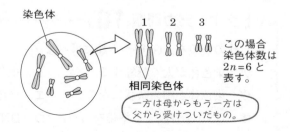

11 **中期**になると，前期で見えるようになった染色体が細胞の真ん中(**赤道面**といいます)に整列します。

12 **後期**になると，つながっていた**2本の染色体が分離**して離れ離れになっていきます。

13 **終期**になると再び**染色体は細い糸状**に戻り，さらに**細胞質が分裂**して2つの細胞になります。

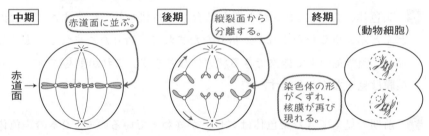

14 DNA量の変化をグラフにすると，次のようになります。

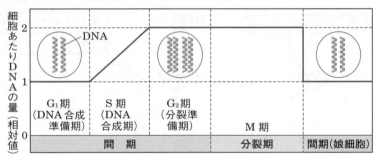

✏️ さっそく問題で確認しましょう!!

╱ トライ！実力問題 **10** ╱

問 次の現象を，G_1期から順に並べよ。

　　ア 染色体が太く凝縮する。　　イ 染色体が赤道面に並ぶ。

　　ウ 染色体が細い糸状になる。　エ 染色体が分離して移動する。

　　オ DNAを合成する準備を行う。カ DNAを合成する。

👍 **染色体のようすをしっかり理解しましょう！**

　アは**前期**，イは**中期**，ウは**終期**，エは**後期**，オは**G₁期**，カは**S期**のようすを表します。

　間期でコピーして，前期で見えてきて，中期で並んで，後期で分かれて，終期で見えなくなる，ですね。

正解　　オ→カ→ア→イ→エ→ウ

共通テストで平均 **+10点!!**

15　**体細胞分裂の観察**を行う実験の手順を見ておきましょう。

　よく用いられる材料は，**タマネギ**などの**根の先端**です。

　根の先端には盛んに細胞分裂を行う**根端分裂組織**があり，この部分での体細胞分裂を観察します。

ここに注目！　　**体細胞分裂(タマネギの根端)の観察手順**

手順1：根の先端を切り取り，まずは分裂組織を**酢酸**などに浸して，細胞の活動を停止させます。
　⇨この作業を**固定**といいます。

手順2：次に**塩酸**に浸して，細胞壁と細胞壁の間を接着させている物質を分解します。
　⇨この作業を**解離**といいます。

手順3：根の先端をスライドガラスにのせ，余計な部分を取り除き，**酢酸オルセイン溶液**などを滴下します。
　⇨染色体が**染色**されます。

手順4：最後にカバーガラスをかけ，ろ紙を乗せた上から軽く押しつぶします。
　⇨これにより重なっていた細胞どうしを広げて**1層にする**ことができます。

---

16 この操作の順番も覚えておきましょう。

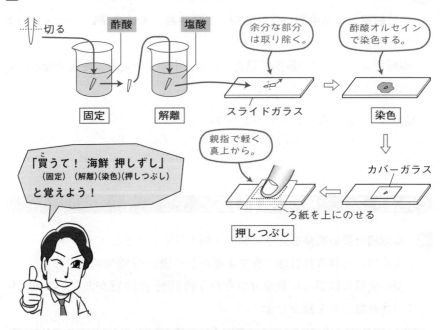

切る 酢酸 塩酸

余分な部分は取り除く。

酢酸オルセインで染色する。

固定 解離 スライドガラス 染色

「買うて！ 海鮮 押しずし」
（固定）（解離）（染色）（押しつぶし）
と覚えよう！

親指で軽く真上から。

カバーガラス

ろ紙を上にのせる

押しつぶし

17 このような実験で，**各時期の細胞の数を数えます。**

たとえば，100個の細胞を観察し，このうち80個が間期，10個が前期，3個が中期，2個が後期，5個が終期だったとしましょう。これらの数から何がわかるのでしょう？

18 ある瞬間で各時期の細胞数を調べると，長い時間のかかる時期の細胞はたくさん観察されるはずですよね。

つまり，細胞数の割合は，その時期にかかる時間の割合を表してくれるのです。

これを適用するには，各細胞が同調せずばらばらに分裂することが必要。

19 細胞周期の時間を20時間とすると，さっきの例では間期にかかる時間は次のようにして求めることができます。

$$20時間 \times \frac{80}{100} = 16時間$$

20 同様にして，前期は $20時間 \times \dfrac{10}{100} = 2時間$

中期は $20時間 \times \dfrac{3}{100}$ から36分，後期は $20時間 \times \dfrac{2}{100}$ で24分，終期は

$20時間 \times \dfrac{5}{100} = 1時間$　ということになります。

✏️ 次の問題で仕上げましょう！！

トライ！実力問題 **11**

　　根端分裂組織を適当な処理をして観察すると，100個中80個が間期
の細胞で，間期にかかる時間は8時間であることがわかった。

問1　下線部に関して，次の操作を正しい順に並べよ。

ア　塩酸に浸す。

イ　酢酸オルセインを滴下する。

ウ　カバーガラスをかけて押しつぶす。

エ　酢酸に浸す。

問2　この根端分裂組織の細胞周期の長さは何時間か。

👍 さあ，確認しましょう！

問1　**固定(酢酸)→解離(塩酸)→染色(酢酸オルセイン)→押しつぶ
す！**の順ですよ。

問2　細胞数の割合が時間に比例するのでしたね。

細胞周期の長さを x 時間とすると

$$x時間 \times \frac{80}{100} = 8時間$$

$$\therefore \quad x = 10$$

となります。

正解	問1　エ→ア→イ→ウ
	問2　**10時間**

DNAの複製の
ストーリーを
描こう！

\これだけでも/
共通テストで平均点！

1 　第6回の遺伝情報の分配で学習したように，間期のS期でDNAが合成されるのでした。このDNAの合成のしかたを見てみましょう。

2 　まず，DNAの塩基どうしの結合が切れて，2本の鎖が1本の鎖にほどけます。

3 　次に，ほどけた鎖をそれぞれ鋳型（いがた）にして，相補的な塩基を持ったヌクレオチドが結合していきます。

4 　さらにヌクレオチドどうしが結合すると新しい2本鎖のDNAが完成します。

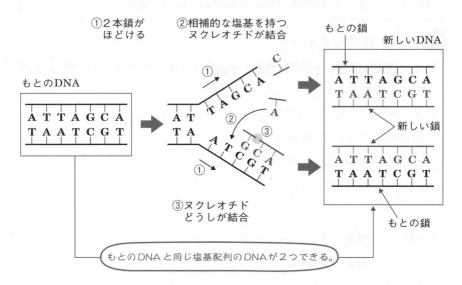

①2本鎖が
ほどける

②相補的な塩基を持つ
ヌクレオチドが結合

もとの鎖

新しいDNA

もとのDNA

A T T A G C A
T A A T C G T

A T T A G C A
T A A T C G T

新しい鎖

③ヌクレオチド
どうしが結合

A T T A G C A
T A A T C G T

もとの鎖

もとのDNAと同じ塩基配列のDNAが2つできる。

5 　このように，生じた2本鎖DNAのうちの一方の鎖はもとの鎖のままで，もう一方の鎖のみ新しく合成していくのです。このような複製のしかたを**半保存的複製**（はんほぞんてきふくせい）といいます。

🖊 さっそく問題で確認しましょう!!

╱トライ！実力問題 **12**╱

問　大腸菌を印の付いたヌクレオチド（標識ヌクレオチド）を与えて培養し，ほとんどが標識ヌクレオチドからなるDNAを持つ大腸菌を得た。この大腸菌を，標識ヌクレオチドのない培地で1回だけ分裂させた。分裂で生じた大腸菌の中で，標識ヌクレオチドを含むDNAを持つ大腸菌は何％存在すると考えられるか。最も適当なものを1つ選べ。

①　0 %　　②　25 %　　③　50 %　　④　75 %　　⑤　100 %

👍 半保存的複製を再現しましょう！

　標識ヌクレオチドを持つ鎖を ―――，標識ヌクレオチドを持たない鎖を ――― で示すことにします。

　まず最初の大腸菌のDNAは，2本の鎖とも標識ヌクレオチドを持つDNAなので ═══ と表せます。これが複製するとき，半保存的複製を行うので，2本の鎖はほどけ，それぞれの鎖を鋳型にして新しいヌクレオチドが結合していきます。このとき，新たに取り込まれるヌクレオチドは標識のないヌクレオチドなので，右図のようになります。

　2本鎖のうちの一方のみ標識ヌクレオチドを持ったDNAが生じますね。たとえ一方のみであっても標識ヌクレオチドを含むDNAなので，100 % ということになります。

正解　　⑤

共通テストで平均 **+10**点!!

6　半保存的複製を確かめた有名な実験があります。

　普通のN（窒素）は^{14}Nですが，これよりも少し重い^{15}Nを持つ塩化アンモニウム（^{15}NH$_4$Cl）を栄養源として大腸菌を何代も培養します。大腸菌はこれを取り込んで，DNAを複製する結果，^{15}Nからなる塩基を持つ重いDNA（^{15}N・^{15}N）ができます。

7 この大腸菌を普通のN(^{14}N)を持つ塩化アンモニウム(^{14}NH$_4$Cl)の培地に移して大腸菌を培養します。するとここからは^{14}Nからなる塩基を持つヌクレオチドが取り込まれることになります。

8 1回，2回，…と分裂を繰り返した大腸菌からDNAを抽出し，密度の違いによって分離する密度勾配遠心分離でDNAを分離します。

9 ^{15}Nを持つ鎖を ━━━ で，^{14}Nを持つ鎖を ━━━ で表すと，もし半保存的複製が正しいのであれば次のようになります。

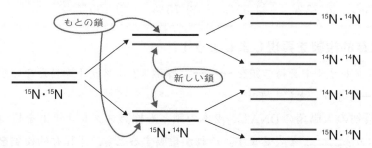

10 すなわち，1回目では^{15}N・^{14}NのDNAのみが生じ，2回目では^{15}N・^{14}NのDNAと^{14}N・^{14}NのDNAが1：1で生じることになります。

11 またDNAの複製に関して**保存的複製**が行われるのではないかという考え方もありました。保存的複製とは文字通り2本の鎖がそのまま保存され，まったく新たに2本鎖をつくるというものです。もし保存的複製が行われるのであれば次図のようになります。

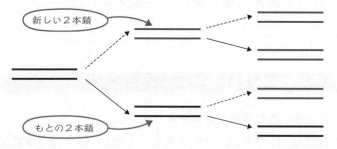

12 保存的複製であれば，1回目では^{15}N・^{15}Nと^{14}N・^{14}Nが1：1に，2回目では^{15}N・^{15}Nと^{14}N・^{14}Nが1：3に生じます。^{15}N・^{14}NのようなDNAは生じないことになります。

13 実際の実験結果は右の通りです。

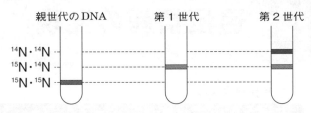

14 この実験では ^{15}N・^{15}NのDNAは重いので，試験管の下に，^{15}N・^{14}NのDNAは ^{15}N・^{15}Nと ^{14}N・^{14}Nの中間の位置に分離することになります。

この結果は，まさに半保存的複製で考えた結果に一致しますね。

15 このような実験によってDNAの複製が半保存的複製であることを証明したのは，**メセルソン**と**スタール**です。

✎ では，次の問題に挑戦しましょう!!

╱ トライ！実力問題 **13** ╱

問 メセルソンとスタールの実験において，^{15}NH₄Clの培地で何世代も培養した後 ^{14}NH₄Clの培地に移してから5回分裂させた大腸菌から抽出したDNAを密度勾配遠心すると，^{15}N・^{15}N : ^{15}N・^{14}N : ^{14}N・^{14}N はどのような比率になるか。最も適当なものを1つ選べ。

① 1：1：1　　② 3：1：5　　③ 0：1：5　　④ 0：1：7

⑤ 0：1：15

👍 しっかり考えられましたか？

まともに5回複製させるのは大変です。頭を使って考えてみましょう。

もともと ^{15}Nの鎖が2本あり，これが鋳型になって ^{15}N・^{14}NのDNAになるので，何回複製させても2分子のはずです。残りはすべて ^{14}N・^{14}NのDNAです。

1回複製すると2分子，2回複製させると 2×2 分子，3回複製させると $2 \times 2 \times 2$ 分子…5回複製させれば全部で 2^5 分子の2本鎖DNAが生じます。このうちの2分子は ^{15}N・^{14}Nなので，2^5 から2分子を引いた残りが ^{14}N・^{14}NのDNAです。よって ^{15}N・^{15}N : ^{15}N・^{14}N : ^{14}N・^{14}N $= 0 : 2 : 2^5 - 2$ $= 0 : 1 : 15$ となります。

正解　　⑤

8 遺伝情報の発現

\これだけでも/
共通テストで平均点！

1 ヌクレオチドが多数結合した物質を**核酸**といいます。もちろんDNA
も核酸の一種ですが、もう1種類、別の核酸があります。それが**RNA**
(**リボ核酸**)です。

デオキシリボ核酸 ←

2 では、DNAとRNAの違いを見ていきましょう。

まず、ヌクレオチドを構成する糖がDNAではデオキシリボースでし
たが、RNAでは**リボース**という糖です。

そして、塩基としてDNAではアデニン、グアニン、シトシン、チミ
ンを持ちましたが、RNAではアデニン、グアニン、シトシン、ウラシ
ルを持ちます。4つのうちどれか違いますね？

**DNAではチミンを持ちますが、RNAではチミンの代わりにウラシ
ル**という塩基を持つのです。ウラシルはUと略記します。

3 したがって、RNAのヌクレオチドは次の4種類になります。

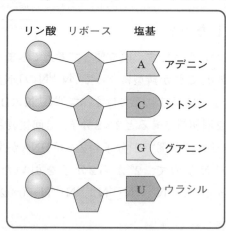

DNAと違うところ
だけを覚えよう！

42

4 この4種類のヌクレオチドがつながったRNAは，実際にはいろいろな種類があるのですが，共通テストで問われるのはそのうちの1種類だけで，それを<u>mRNA**(伝令RNA)**</u>といいます。
└→ mはメッセンジャーの頭文字。

5 mRNAは，DNAの遺伝情報のうち，そのとき必要な部分だけをコピーしたようなものです。mRNAには，核の中にあるDNAの遺伝情報を，核外のタンパク質合成の工場に伝える働きがあるので，伝令RNAと呼ばれているのです。

6 DNAの遺伝情報が働くことを「**発現**する」といいます。遺伝情報の発現では，まずDNAの2本鎖の一部がほどけ，ほどけたうちの**一方の鎖**の塩基配列に相補的な塩基を持ったRNAのヌクレオチドが結合します。このときの塩基の対応は次の通りです。

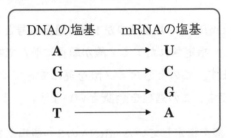

すなわち，Aに対してTではなくUが対応すること以外はDNAの場合と同じです。

7 このようにして，DNAの遺伝情報を写し取ったmRNAを合成することを**転写**といいます。

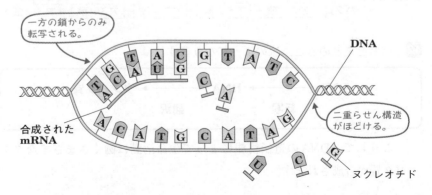

8 もし次のような塩基配列を持つDNAを転写すると，どのような塩基配列のmRNAができるでしょうか？書き込んでみましょう！

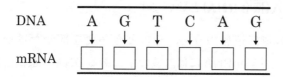

DNA	A	G	T	C	A	G
	↓	↓	↓	↓	↓	↓
mRNA	□	□	□	□	□	□

9 できましたね！(^^)！

転写では，DNAの塩基Aに対応する塩基はTではなく**U**です。

DNA	A	G	T	C	A	G
	↓	↓	↓	↓	↓	↓
mRNA	U	C	A	G	U	C

10 次に，生じたmRNAの**塩基3つが1組の遺伝暗号**となって1分子のアミノ酸を指定し，指定されたアミノ酸が順番に並んで結合してタンパク質が合成されます。このときアミノ酸を運んできてくれるのが**tRNA（転移RNA）**です。この過程を翻訳といいます。

11 1つのアミノ酸を指定しているmRNAの3つ組塩基を**コドン**といい，コドンに対応するtRNAが持つ3つ組塩基を**アンチコドン**といいます。

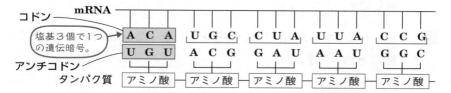

12 以上をまとめると，次のようになります。

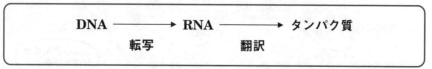

こうして，DNAの遺伝情報によって生命活動に働くさまざまなタンパク質が合成されます。

13 このように，（すべての生物において）遺伝情報が**DNA→RNA→タンパク質へと一方向に伝達されていく**という考え方を<u>セントラルドグマ</u>といいます。

日本語に訳すと「中心教義」。←┘

 では，次の問題で確認しましょう！

┤ トライ！実力問題 **14** ├

次の図は，DNAの塩基配列およびそれに対応するmRNAの塩基配列の一部を示したものである。

DNA	A	T	T	G	T	C
mRNA	ア	イ	イ	ウ	イ	エ

問1 RNAについて次の文の正誤を判定せよ。

① RNAに含まれる糖はデオキシリボースである。

② RNAはDNAと異なり二重らせん構造をしている。

③ RNAにはアデニンの代わりにウラシルが含まれる。

④ RNAの最小単位はヌクレオチドではなく糖と塩基のみからなる。

問2 ア～エに当てはまる塩基の記号を答えよ。

👍 **できましたね！**

問1 ① **誤り。**RNAに含まれる糖はデオキシリボースではなく**リボース**です。

② **誤り。**DNAは二重らせん構造をしていますが，RNAは**1本鎖**です。

③ **誤り。**RNAにもアデニンは含まれます。チミンの代わりに**ウラシル**を持ちます。

④ **誤り。**RNAの最小単位も，糖と塩基とリン酸からなるヌクレオチドです。

問2 mRNAはDNAのAに対してU，Tに対してA，Gに対してC，Cに対してGが対応します。

したがって，**ア＝U，イ＝A，ウ＝C　エ＝G**となります。

正解　　**問1　全部誤り　　問2　ア…U　イ…A　ウ…C　エ…G**

14 もう1点学習しましょう！

　p.33の相同染色体のところで，1本は父親から，もう1本は母親からもらうので，同じタイプのものが2本ずつあるという話をしましたね。

　もし，染色体の種類がn種類あれば，それぞれについて2本ずつあるので，$2n$本の染色体を持つことになります。

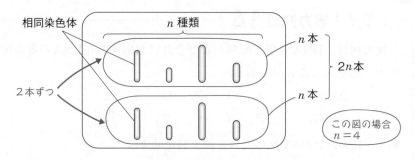

15　この$2n$本の染色体は，精子や卵をつくるときには半減してn本となり，精子と卵が受精することで再び$2n$本になります。

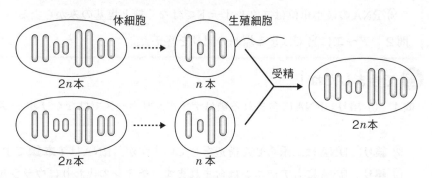

16　染色体にはDNAが含まれており，DNAはヌクレオチドからなり，ヌクレオチドには塩基があり，この塩基の並び方が遺伝情報になっているのでしたね。このn本の染色体に含まれる遺伝情報を**ゲノム**といいます。

　精子や卵にはn本の染色体が含まれているので，**n本の染色体に含まれる遺伝情報**—すなわちゲノム—が**その個体の形成や生命活動を維持するのに必要な最少限の遺伝情報**ということになります。

17 ヒトでは，ゲノムには**約30億**の塩基対が含まれており，その中に約2万個の遺伝子があると推定されています。

18 実際にはDNAの塩基配列のすべてが遺伝子として働いているわけではなく，アミノ酸を指定している部分はDNAの塩基配列全体のほんの1％程度です。

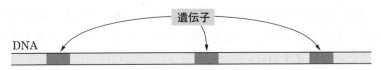

 では，次の問題で仕上げましょう!!

┤ **トライ! 実力問題 15** ├

問 次の文の正誤をそれぞれ判定せよ。

① 精子や卵にはゲノムの半分が含まれており，受精によって1セットのゲノムを持つようになる。

② ヒトのゲノムには約30億塩基対があるので，遺伝子の数も約30億ある。

③ ゲノムの中には遺伝子として働いていない部分もある。

👍 **確認しましょう!**

① 精子や卵に含まれているn本の染色体の遺伝情報が1セットのゲノムです。受精によって生じた個体の体細胞はゲノムを2セット持つことになります。

② いくつかの塩基対の集まりが遺伝子となります。30億塩基対の塩基があっても，遺伝子は約2万個しかありません。

③ ヒトゲノムでは，遺伝子として働いている部分は1％程度でした。

正解 ① **誤り** ② **誤り** ③ **正しい**

19 DNAは2本の鎖からなりますが，転写されるのは，その**一方の鎖のみ**です。転写の際にお手本になる側の鎖を**アンチセンス鎖**，その反対側の鎖を**センス鎖**といいます。

20 また，mRNAの塩基が3つで1組となって1つのアミノ酸を指定するので，たとえばmRNAの塩基が6つあったら2つのアミノ酸が指定されることになりますね。

もしmRNAの塩基が30個だったら？

⋮

そうですね！10個のアミノ酸を指定します。

✎ **では，早速問題で確認しましょう！**

╶┤ トライ！実力問題 **16** ╶

問1 次の図はDNAとそれに対応するmRNAの塩基配列を示したものである。図中のア，イ，ウ，エに入る塩基をそれぞれ図中で使われている記号を用いて答えよ。

DNA ⎰ T T G A C T C A G
　　 ⎱ A A C T G A G T C

mRNA ア ア C イ ウ ア ウ イ エ

問2 あるDNAの遺伝子の部分は300個のヌクレオチドからなっている。この遺伝子に対応するアミノ酸は何個か。次のなかから最も適当なものを1つ選べ。

① 300個　② 100個　③ 50個　④ 10個　⑤ 3個

問3 DNAのGATの塩基配列に相補的な塩基配列を持つ鎖が転写されて生じたmRNAのコドンに対応するtRNAが持つアンチコドンの塩基配列として最も適当なものを1つ選べ。

① CTA　② CUA　③ GAU　④ GAT

👍 慎重に考えましょう！

問1 DNAの2本鎖のうちの一方の鎖を鋳型にして転写が行われるのでしたね。この場合も**上の鎖と下の鎖のどちらが鋳型になるアンチセンス鎖か**を判断する必要があります。

　問題の図をよ〜く見てみると，mRNAの左から3つ目の塩基がCとなっていますね。これが唯一のヒントです‼

　mRNAがCということはGに対応しているので，この場合は上の鎖が鋳型になるアンチセンス鎖だったのだとわかります。あとはもうわかりますね！

問2 3つの塩基で1つのアミノ酸に対応するので，塩基の数を3で割れば対応するアミノ酸の数がわかります。

　じゃあ，300÷3で100個だ！……と考えるのは早とちりです！

　DNAの2本鎖のうちの一方のみがアンチセンス鎖となってmRNAに対応するのでした。

　ということは，**300個ヌクレオチドがあってもアンチセンス鎖のヌクレオチドは150個**です。それをもとに転写して生じたmRNAのヌクレオチドも150個。3個の塩基ごとに1つのアミノ酸を指定するので，アミノ酸の数は，150÷3＝50個となります。

問3 GATに相補的な塩基配列はCTA，これを転写して生じたmRNAはGAU，このコドンに対応するアンチコドンはCUAになります。慎重に丁寧に考えましょう。

$$
\text{DNA} \begin{cases} \text{GAT} \quad (\text{センス鎖}) \\ \text{CTA} \quad (\text{アンチセンス鎖}) \end{cases}
$$

mRNA　GAU

tRNA　CUA

> 次は遺伝子の本体がDNAであることを明らかにした研究について押さえよう！

正解　　　問1　ア…A　イ…U　ウ…G　エ…C

　　　　　　問2　③

　　　　　　問3　②

9 遺伝子の本体

実験からわかることを
しっかり理解しよう。

\これだけでも/
共通テストで平均点！

1 **遺伝子の本体がDNAである**ことは，もう今日^{こんにち}では誰でも知っている常識ですね。それが解明されたのは20世紀の半^{なか}ばのこと。どのような実験で明らかになったのかを見ておきましょう。

2 ひとつは，**肺炎双球菌**^{はいえんそうきゅうきん}(肺炎球菌)と**マウス**を用いた実験です。

肺炎双球菌は，文字通り肺炎の原因となる細菌で，炭水化物でできた鞘^{さや}(カプセル)に包まれた**S型菌**^{がたきん}と鞘を持たない**R型菌**^{がたきん}とがあります。

3 一般に，動物体内に入った病原菌は，<u>白血球の食作用</u>によって処理されるので，そう簡単には動物体内で増殖することができません。
　　　　　　　　　　　　　　　　　　　　└→p.71

ですが，S型菌は，その鞘によって白血球の食作用を免れ，動物体内でも増殖することができます。その結果，肺炎を起こさせるので，**病原性がある**ことになります。

4 しかし，鞘を持たないR型菌は，動物体内ではすぐに白血球によって処理されてしまうため，動物体内では増殖できません。そのため，**病原性がない**ということになります。

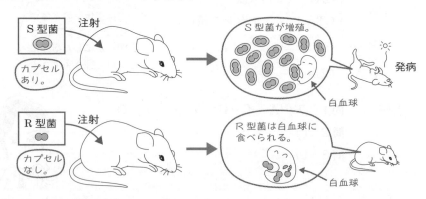

5 S型菌を加熱殺菌し(すなわちS型菌を殺して)マウスに注射しても，死んでいるS型菌は増殖するはずがないので，マウスは肺炎にかかることはありません。

ところが，<u>生きているR型菌</u>と<u>加熱殺菌したS型菌</u>を混合してマウスに注射すると，不思議なことにマウスは肺炎にかかって死んでしまいます。しかも，マウスの体内からは増殖したS型菌(もちろん生きている！)が発見されたのです。

病原性なし。←　→死んでいる。

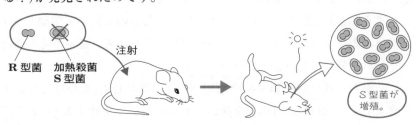

R型菌　加熱殺菌S型菌　注射　S型菌が増殖。

6 まさか，死んでいたS型菌がよみがえったりするはずはないので，死んでしまったS型菌の何らかの成分によって，R型菌がS型菌に変身したと考えられます。このような現象を**形質転換**といいます。

7 このような実験を行ったのは**グリフィス**です。でも，形質転換を起こさせるのがどのような物質なのかは，これだけではまだわかりません。

この原因物質を突き止めたのは，**エイブリー**です。

8 エイブリーは，次のような実験を行いました。

まず，S型菌をすりつぶして抽出液をつくります。この抽出液とR型菌とを混合して寒天培地にまくと，S型菌に変身した(形質転換した)ものが現れます。グリフィスの実験と同様の結果ですね。

9 このとき，R型菌のすべてがS型菌に形質転換するわけではないので，増殖するのは多数のR型菌と少数のS型菌です(次ページの図)。

グリフィスの実験では，マウスに注射して，マウスの体内で増殖する菌を調べたので，変身できなかった多数のR型菌は白血球に食べられ姿を消したのです。寒天培地には白血球はいませんので，R型菌はもとのままでも平気で増殖することができるのです。

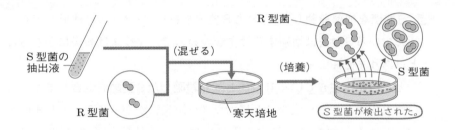

10 次に，抽出液を**タンパク質分解酵素**（文字通りタンパク質を分解してしまう酵素）で処理し，タンパク質を除いたものを用いて実験してもS型菌に変身するものはちゃんと現れます。すなわち，変身させる原因はタンパク質ではないことがわかります。

しかし，抽出液を**DNA分解酵素**（文字通りDNAを分解してしまう酵素です）で処理し，DNAを除いたものを用いて実験すると，S型菌に変身するものは現れませんでした。

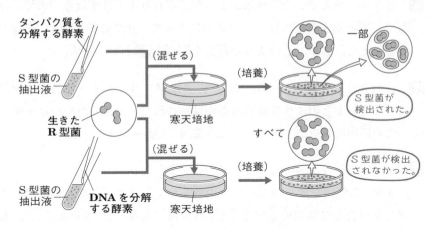

11 このような実験から，R型菌をS型菌に変身させる犯人は**DNA**であることがわかります。鞘があるかないかといった形質を支配するのが遺伝子ですから，**遺伝子の本体はDNA**だということがいえます。

12 S型菌が持つ鞘をつくる遺伝子を含むDNA断片をR型菌が取り込むことによって，R型菌がS型菌に形質転換するのです。我々にはまねのできない現象ですね。

では！次の問題でチェックしましょう！！

┤ **トライ！実力問題 17** ├

問 次の実験で増殖するのは，どのようなタイプの細菌か。それぞれ下の①〜⑤のなかから適当なものを1つ答えよ。

(1) S型菌の抽出液をDNA分解酵素で処理したものとR型菌を混合してマウスに注射した場合，マウスの体内で増殖する細菌。

(2) S型菌の抽出液をタンパク質分解酵素で処理したものとR型菌を混合して寒天培地にまいた場合，寒天培地で増殖する細菌。

① S型菌のみ　　　　② R型菌のみ

③ 多数のR型菌と少数のS型菌

④ 多数のS型菌と少数のR型菌

⑤ 増殖する細菌はなし

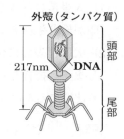 **わかりましたか？**

(1) **DNA分解酵素で処理しているので形質転換は起こりません。**したがって，R型菌だけ…となるはずですが，マウスの体内ではR型菌は白血球の食作用で処理されるので増殖できません。したがって，**増殖する細菌はなし**ということになります。

(2) **タンパク質分解酵素**で処理してもDNAは残っているので，R型菌の一部はS型菌に**形質転換します。**でも，大多数はR型菌のままです。(1)と異なり今度は寒天培地なので，S型菌もR型菌も増殖できます。

正解　　　(1) ⑤　　　(2) ③

13 遺伝子の本体を突き止めたもう1つの実験を見てみましょう。**バクテリオファージ**という**ウイルス**を使った実験です。

　このバクテリオファージは右の図のような姿をしていて，**タンパク質**でできた外殻とその中にある**DNA**だけでできています。

外殻（タンパク質）

頭部

尾部

217nm　**DNA**

14 このバクテリオファージは大腸菌に感染すると，**DNAのみを大腸菌に注入し**，大腸菌が持つさまざまな物質を利用して，新しい子ファージを増殖させます。DNAをもとにして新しい子ファージが誕生するのですから，確かに遺伝子の本体はDNAだとわかります。

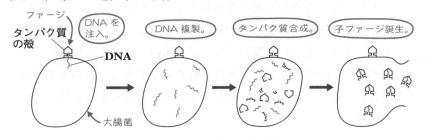

📝 次の問題で確認しましょう!!

トライ！実力問題 **18**

バクテリオファージのタンパク質に**X**の印，DNAには**Y**の印をつけ，大腸菌に感染させた。培養液を激しく撹拌した後，遠心分離機にかけて大腸菌を沈殿させた。次の各問いの答えを①〜④から選べ。
(1) 沈殿からおもに検出される印は何か。
(2) もし撹拌しないで遠心分離にかけると沈殿からおもに検出される印は何か。それぞれ最も適当なものを1つずつ選べ。

  ① **X**のみ   ② **Y**のみ   ③ **X**と**Y**の両方
  ④ いずれの印も検出されない。

👍 わかりましたか？

(1) 大腸菌に注入されるのは**DNA**なので，沈殿した大腸菌からは**Y**の印が検出されます。
(2) 大腸菌表面に付着しているファージの外殻を振りほどくために撹拌します。撹拌しないと，遠心分離機にかけたとき大腸菌と一緒に外殻も沈殿するため沈殿からは**X**と**Y**の両方が検出されてしまいます。

正解   (1) ②   (2) ③

共通テストで平均 +10点!!

15 DNAを抽出する実験は高校でも行えます。操作について問題に出ることがありますので,見ておきましょう。

ここに注目! **DNAの抽出実験の手順**

手順1:試料(ニワトリの肝臓や魚の精巣(せいそう)など)をすりつぶし,**トリプシン**(タンパク質分解酵素)を加える。⇨DNAと結合しているタンパク質を分解させるため。

手順2:**食塩水**を加えてよくかき混ぜる。⇨DNAを溶かす。

手順3:100℃で湯煎(ゆせん)し,さらに**ろ過**する。⇨分解できなかったタンパク質を変性させてDNAから外し,取り除く。

手順4:冷却し,**エタノール**を加える。⇨DNAはエタノールには溶けないので,DNAが析出する。

手順5:ガラス棒で糸状の物質を巻き取る。➡これがDNA!!

---

16 用いる薬品と操作の順番を覚えておきましょう!

「鳥塩得た!」と覚えよう!

トリプシン	⟶	食塩水	⟶	エタノール
鳥		塩		得た!

 さっそくチェック!!

┤トライ!実力問題 19 ├

問 DNAの抽出実験の操作を正しい順に並べよ。

ア エタノールを加える。　　イ 食塩水を加える。

ウ トリプシンを加える。

👍 **できましたね!**

「鳥塩得た!」でばっちりです!

正解 ウ→イ→ア

スピードチェック

カンペキに押さえよう！

ポイントをチェック！

できたらチェック

答え

□ ① 植物の細胞壁を構成するおもな成分を挙げよ。

① セルロース

□ ② 液胞中に含まれる代表的な色素の名称は？

② アントシアン

□ ③ 次のなかから原核生物をすべて選べ。

ア 大腸菌 イ 酵母 ウ ネンジュモ
エ ユレモ オ カナダモ カ T_2ファージ

③ ア，ウ，エ

□ ④ ATPを構成する成分を3つ挙げよ。

④ アデニン，リボース(糖)，リン酸

□ ⑤ 生体内で複雑な物質を単純な物質に分解する反応を何というか。

⑤ 異化

□ ⑥ 核酸を構成する最小単位を何というか。

⑥ ヌクレオチド

□ ⑦ ⑥で答えた物質を構成する成分を3つ挙げよ。

⑦ 糖，リン酸，塩基

□ ⑧ DNAを構成する糖の名称は？

⑧ デオキシリボース

□ ⑨ ヌクレオチド鎖を構成する結合は次のどれか。

ア 塩基と塩基 イ 糖と塩基
ウ 糖とリン酸 エ リン酸と塩基

⑨ ウ

□ ⑩ ヌクレオチド鎖どうしを結合させるのは⑨のア～エのどの結合か。

⑩ ア

□ ⑪ DNAを構成するアデニンが26％であった。チミンとグアニンはそれぞれ何％含まれるか。

⑪ チミン…26％，グアニン…24％

□ ⑫ A個のヌクレオチドからなるDNAがある。ヌクレオチド対間の距離をBとすると，このDNAの長さはどういう式で表されるか。

⑫ $A \times \dfrac{1}{2} \times B$

□ ⑬ 細胞分裂が終わってから次の細胞分裂が終わるまでの過程を何というか。

⑬ 細胞周期

☐ ⑭ 間期の3つの時期をアルファベットを用いた短い用語で答えよ。

⑭ G_1期, S期, G_2期

☐ ⑮ 体細胞に存在する同形で同大の染色体を何というか。

⑮ 相同染色体

☐ ⑯ 根端分裂組織の観察の手順として正しい順に並べよ。
ア 解離　イ 染色　ウ 固定
エ 押しつぶす

⑯ ウ→ア→イ→エ

☐ ⑰ ⑯のアおよびウで用いる薬品を答えよ。

⑰ ア 塩酸
　ウ 酢酸

☐ ⑱ 細胞周期が20時間の100個の細胞集団で間期の細胞が80個あった。分裂期の時間は何時間か。

⑱ 4時間

☐ ⑲ DNAの遺伝情報を写し取ってmRNAを合成することを何というか。

⑲ 転写

☐ ⑳ ⑲の際にDNAのアデニンに相補的に結合する塩基は何か。

⑳ ウラシル

☐ ㉑ 100個のアミノ酸を指定するmRNAの塩基の数は何個か。

㉑ 300個

☐ ㉒ mRNAの遺伝情報をもとにタンパク質を合成することを何というか。

㉒ 翻訳

☐ ㉓ アミノ酸と結合し，アミノ酸を運搬するRNAを何というか。

㉓ tRNA
　（転移RNA）

☐ ㉔ 遺伝情報がDNA→RNA→タンパク質という経路で一方向に伝達されることを何というか。

㉔ セントラルドグマ

☐ ㉕ DNA抽出実験の手順として正しい順に並べよ。
ア エタノールを加える
イ トリプシンを加える
ウ 食塩水を加える

㉕ イ→ウ→ア

10 体液

体液の種類と成分,
しっかり整理!

1 **体液**は，体内で循環したり細胞のまわりを満たしたりする液体で，**血液**，**リンパ液**，**組織液**の3種類があります。

血液はさらに有形成分の**血球**と液体成分の**血しょう**からなります。

同様に，リンパ液も有形成分の**リンパ球**と液体成分の**リンパしょう**からなります。

2 血管の中を流れるのが血液，リンパ管の中を流れるのがリンパ液ですね。では**組織液**は？

実は，血液の**血しょう成分が毛細血管の壁からにじみ出たもの**が組織液なんです。組織液の大部分は再び毛細血管に戻り血しょうとなりますが，一部はリンパ管に入り，リンパしょうとなります。

3 血球のなかで最も数が多いのが**赤血球**で，ヒトの場合，血液$1\,mm^3$中に**400万個～500万個**も存在します。たった$1\,mm^3$でこの数なので，体全体では何兆個もあることになります。すごい数ですね。

4 **ヒトの赤血球は直径が約7～8μm**です。この数字は重要です！ふつうの体細胞が数十μmの大きさなので，ふつうの体細胞にくらべると小さいですね。また，ヒトなど**哺乳類の赤血球には核やミトコンドリアが存在しない**という特徴があります。これも覚えておきましょう。

5　赤血球の働きはなんといっても**酸素運搬**です。赤血球の中には**ヘモグロビン**というタンパク質が含まれていて，これが酸素と結合して酸素を運搬する役割を担ってくれます。これについては，後ほどもう少しだけくわしく見ることにしましょう。

6　次に数が多いのが**血小板**です。ヒトでは血液$1mm^3$中に20万個〜40万個存在します。大きさは$2〜3\mu m$と非常に小さく，赤血球と同様に血小板も核を持ちません。血小板の働きは**血液凝固**です。出血してもやがて血が止まるのは，この血小板の働きによります。

7　血管が傷つくと，まずその部分に**血小板**が集まってきます。この血小板の働きによって，血しょう中に**フィブリン**と呼ばれる繊維状のタンパク質がつくられます。フィブリンが赤血球などの血球とからみついて**血ぺい**という塊ができて出血が止まります。この一連の過程を**血液凝固**といいます。

8　採血した血液を試験管に入れておくと，血液凝固の反応が起こり，血ぺいが沈殿します。このとき生じた上澄みを**血清**といいます。

血しょうと血清は似ていますが，少し違います。

もともと血液の液体成分が血しょうで，**血しょうからフィブリンを除いた液体成分が血清**です。
→ 正確には，フィブリンに変化するもとのタンパク質。

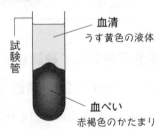

試験管

血清
うす黄色の液体

血ぺい
赤褐色のかたまり

9　最も数が少ないのは**白血球**で，ヒトでは血液$1mm^3$中に6000個〜9000個存在します。数は少ないですが，白血球には多くの種類があります。後で免疫のところで学習しますが，好中球，マクロファージ，樹状細胞，B細胞，T細胞，NK細胞など，すべて白血球の一種です。

核

好中球

10 このうちの**B細胞**と**T細胞**，**NK細胞**はまとめて**リンパ球**といいます。リンパ球も白血球の一種なんですよ。これらの働きは後ほどくわしく学習しますが，いずれも免疫に関与します。

　　大きさもさまざまですが，おおよそ8〜15μm程度です。

11 赤血球以外の細かい数字は，それほど気にしなくても大丈夫です。

　　数の多い順に並べると　赤血球 ＞ 血小板 ＞ 白血球

　　大きさの大きい順に並べると　白血球 ＞ 赤血球 ＞ 血小板

という程度で大丈夫です。

12 これらの血球は，いずれも太い骨の中心部分にある**骨髄**という組織で生成されます。

13 以上をまとめておきましょう。

	数	大きさ	働き
赤血球	400万〜500万個／mm³	7〜8μm	酸素運搬
血小板	20万〜40万個／mm³	2〜3μm	血液凝固
白血球	6000〜9000個／mm³	8〜15μm	免　疫

✏️ **早速問題で確認しますよ！**

┤トライ！実力問題 20 ├

問　次の各文の正誤を判断せよ。

① 血液の成分は血管の中だけを流れ，血管外に出ることはない。

② 血球のなかで最も数が多いのは白血球である。

③ リンパ球はリンパ管の中には存在するが血管中には存在しない。

④ 毛細血管からにじみ出た血小板を組織液という。

⑤ 組織液の大部分は毛細血管に戻る。

⑥ 血球はすべて脊髄で生成される。

👍 **ばっちりできましたか？**

① 血液の液体成分である血しょうは毛細血管から出ることができましたね。それ以外に，白血球も毛細血管の隙間を通って血管外に出て，病原菌などの異物に対する攻撃を行います。

② 血球のなかで一番大きいのは白血球ですが，**数が一番多いのは赤血球**です。

③ リンパ球も白血球の一種で，血管の中にもリンパ球は存在します。

④ **組織液は毛細血管からにじみ出た血しょうです。**

⑤ 毛細血管からにじみ出た血しょう，すなわち**組織液の大部分は再び毛細血管に戻ります。**一部はリンパ管にも吸収されます。

⑥ 血球を生成する場所は脊髄ではなく**骨髄**です。

正解　① 誤　② 誤　③ 誤　④ 誤　⑤ 正　⑥ 誤

共通テストで平均 +10点!!

14 赤血球に含まれているヘモグロビンは，まわりに酸素が多いとき（**酸素濃度が高いとき**）には，酸素と結合して**酸素ヘモグロビン**になりやすくなります。逆に酸素が少ないとき（酸素濃度が低いとき）には，酸素ヘモグロビンは酸素を離して（これを**解離**といいます）ヘモグロビンに戻りやすくなります。

15 ヘモグロビンは酸素濃度以外にも**二酸化炭素濃度の影響も受けます。二酸化炭素濃度が低いとき**には酸素と結合して**酸素ヘモグロビンになりやすく**，二酸化炭素濃度が高いときには酸素ヘモグロビンは酸素を解離しやすくなります。

酸素 高 ・ 二酸化炭素 低
⇩
ヘモグロビン ＋ O_2 ⇌ 酸素ヘモグロビン
⇧
酸素 低 ・ 二酸化炭素 高

16 酸素を運搬しようと思ったら，酸素と結合しやすいだけではなく酸素を離しやすい性質も持っていなければいけないのです。

　トラックに荷物を積んでも，目的地で荷物を降ろしてくれなかったら意味がないですよね。

17 肺胞(はいほう)のように酸素濃度が高く二酸化炭素濃度が低い場所では酸素と結合し(荷物を積み込み)，組織のように酸素濃度が低く二酸化炭素濃度が高い場所に行くと酸素を解離しやすくなる(荷物を降ろす)のです。とても都合のよい特徴だと思いませんか？

　また，温度が高いほうが酸素を解離しやすくなります。

✎ では，問題で練習しましょう。

┌─ トライ！実力問題 **21** ─┐

　肺胞における酸素ヘモグロビンの割合が90％，組織における酸素ヘモグロビンの割合が30％であった。肺胞から組織へと血液が流れた場合，肺胞で酸素と結合していたヘモグロビンの何％が組織で酸素を解離したか。

　① 30％　　② 33％　　③ 60％　　④ 67％

👍 問われ方に注意しましょう！

　肺胞での酸素ヘモグロビンは90％，組織での酸素ヘモグロビンは30％。

　よって，酸素を解離したのはヘモグロビン全体の90－30＝60％ですが，問いは「<u>肺胞で酸素と結合していたヘモグロビンの何％か</u>」です。
　　　　　　　　　　　└→ この場合は90％。

　したがって，

$$\frac{60}{90} \times 100 ≒ 66.7\％$$

となります。

正解　　問1　④

18 血液凝固に関して，少し追加しておきましょう。血液凝固によって止
血し，やがて血管が修復されると，血ぺいは溶かされてしまいます。こ
→p.59
れは血液中の酵素の働きで，フィブリンが分解されてしまうからで，こ
のような現象を**線溶（フィブリン溶解）**といいます。

19 出血によって血液は凝固しますが，血管内で同様の現象が起こること
もあります。この場合の血液の塊は血ぺいではなく，**血栓**といいます。
血栓によって血流量が減少してしまうと，その先の組織が酸素不足にな
り，その組織の細胞が死んでしまいます。これを**梗塞**といいます。脳
の血管が詰まると**脳梗塞**，心臓を取り巻く血管が詰まると**心筋梗塞**が起
こります。

20 もう1点追加です。赤血球の数は**450万～500万個**でしたが，これ
は**血液1mm³中**での数です。では，体の中全部ではいったい何個くら
いあるのか計算してみましょう。

21 血液の重さは体重の約8％です。たとえば体重50kgのヒトでは50kg
×0.08＝4kgが血液の重さです。

22 血液1kgの体積を約1Lとすると，4kgの血液の体積は4Lですね。
1Lは1000mLで，1mLは1cm³で$1×10^3$mm³なので，4Lは4000mL
$＝4×10^3×10^3$mm³$＝4×10^6$mm³ということになります。

23 1mm³あたりの赤血球の数を500万$（＝5×10^6）$個とすると，体重50kg
のヒトの赤血球の数は$5×10^6$個/mm³$×4×10^6$mm³$＝20×10^{12}$個となり
ます。すなわちなんと約20兆個ということになります。ヒトの体は全
部で約37兆個の細胞からなると言われるので，ヒトの体の細胞の半分
以上が赤血球だということになります。すごい数ですね！

24 これらの数値を覚える必要はまったくありませんが，**これらの条件を
与えられて計算できるようにはしておきましょう。**

11 循環系

1 血液の循環について，まずは我々哺乳類の心臓の構造を見ておきましょう。

血液が帰ってくる部屋が心房，**血液を送り出す部屋が心室**です。

それぞれに右と左があるので4つの部屋からできていることになります。

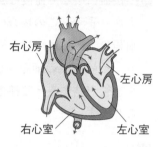

右心房
左心房
右心室
左心室

2 **心臓へ帰る血液を運ぶ血管が静脈，心臓から出ていく血液が流れる血管が動脈**です。さらに，行き先あるいはどこから帰ってきたのかを示して血管の名称をつけます。たとえば，これから**肺へ向かう血管は肺動脈**，**肺から帰ってくる血管は肺静脈**となります。

では，腎臓へ向かう血管は？　　⇨　**腎動脈**ですね。

腎臓から帰ってくる血管は？　　⇨　**腎静脈**。簡単でしょ。

3 **全身の毛細血管を通った後**，血液は**大静脈**を通り，**右心房**に帰ります。そして血液は**右心室**に送られ，**肺動脈**を通って**肺**へ送り出されます。肺で酸素をもらった血液は，**肺静脈**を通って**左心房**に帰り，**左心室**に入ります。左心室から**大動脈**を通って**全身**へ血液が送り出されます。

4 したがって，左心室には最も強い圧力が必要で，そのため**左心室の壁が最も厚く**なっています。心臓から肺を通って心臓に戻るまでの血液の流れを**肺循環**，それ以外の全身を通る流れを**体循環**といいます。

5 血液には**酸素を多く含む動脈血**と，**酸素が少なく二酸化炭素が多く含まれている静脈血**があります。動脈血は赤血球中の多くのヘモグロビンが酸素と結合している**鮮紅色**の血液です。静脈血は，多くのヘモグロビンが酸素を離している状態で，**暗赤色**の血液です。

6 1つ注意しないといけないのは，動脈の中を流れている血液がすべて動脈血というわけではないということです！

肺から心臓へ帰る血管は**肺静脈**ですが，中を流れている血液は，肺で酸素をもらった帰りなので，最も酸素をたくさん含んでいる**動脈血**です。

「**肺静脈**の中を**動脈血**が流れる」と丸暗記すると間違えて覚えてしまう心配がありますが，しっかり納得しておけば間違えないはずです。

同様に，**肺動脈**の中には，全身の細胞に酸素をあげて，これから肺で酸素を受け取る手前の**静脈血**が流れています。

7 以上を踏まえて，心臓とその周囲の血管を図で確認しておきましょう。

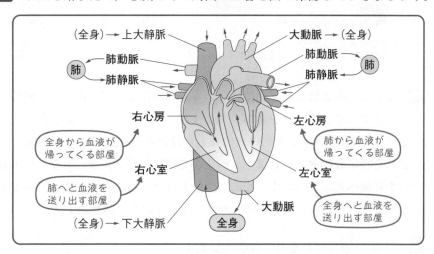

このような図では，この心臓が自分の体にあるとして右，左を考えます。したがって，図では向かって右側が体の左になります。

8 動脈，静脈，毛細血管はその構造にも特徴があります。

いずれの血管も内皮細胞からなる**内皮**^{ないひ}で囲まれた中を血液が流れますが，**動脈**は血液が心臓から勢いよく送り出される高い血圧に耐えるため筋肉層が発達した丈夫な構造をしています。**静脈**にも筋肉層はありますがそれほど発達していません。また静脈には逆流を防ぐために**弁**^{べん}があります。これらの血管を構成する筋肉は**平滑筋**^{へいかつきん}と呼ばれる筋肉です。

9 一方，**毛細血管**には筋肉がありません。たった1層の内皮だけでできています。そのため，内皮細胞と内皮細胞の隙間を通って血しょうがしみ出すことができるのです。また，白血球も，この隙間を通って血管外に出て異物を攻撃したりします。

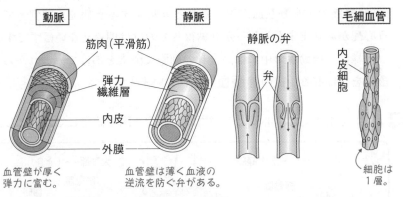

動脈 | 静脈 | 毛細血管

筋肉（平滑筋）
弾力繊維層
内皮
外膜

血管壁が厚く弾力に富む。

静脈の弁
弁

血管壁は薄く血液の逆流を防ぐ弁がある。

内皮細胞

細胞は1層。

10 ほとんどの血管は動脈か静脈という名称が付くのですが，一部例外があります。器官と器官を結ぶ，ちょうどバイパスのような血管があり，これを**門脈**といいます。代表的なものは消化管と肝臓を結ぶ門脈で，これを特に**肝門脈**といいます。消化管で吸収したグルコースなどの栄養分を肝臓へ運ぶ血管です。なので，栄養分はたっぷりと含まれていますが，消化管の細胞に酸素を渡した後の血液なので，**静脈血**です。

11 **リンパ液**の流れも見ておきましょう。

　リンパ管には心臓のようなポンプはなく，**毛細リンパ管**から始まり，最後は**血管**（鎖骨の下にある静脈で，**鎖骨下静脈**という血管）に合流します。すなわち，リンパ液も最後は血液と一緒になってしまうのです。

　ちなみに，リンパ管にも静脈と同じく**弁があり**，逆流を防いでいます。

12 また，リンパ管のところどころに**リンパ節**という膨らんだ部分があります。ここには特に**リンパ球**が多く集まり，体内に侵入した病原菌などを処理してくれています。

　よく病気になったときに，首や脇の下がはれたりしますね。あれがリンパ節で，病原菌と戦っている戦場なのです。

13　全身の血液およびリンパ液の流れをまとめると次のようになります。

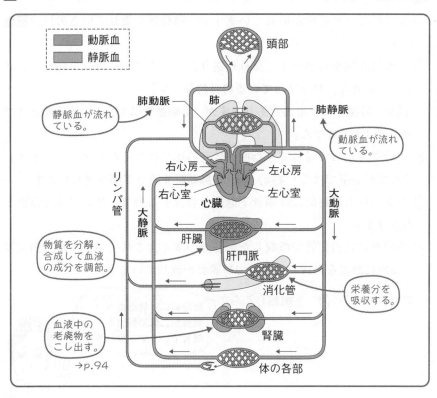

→p.94

では，問題ですよ！

トライ！実力問題 22

問　次の文の正誤を判断せよ。

① 大動脈や肺動脈には動脈血が流れている。

② 動脈には逆流を防ぐための弁がある。

③ 動脈，静脈，毛細血管には平滑筋がある。

④ 血液は全身から大静脈を通って左心房に帰り，左心室から肺動脈を通って肺へ送られる。

⑤ リンパ液と血液は混ざることがない。

⑥ 肝門脈には栄養分を多く含む動脈血が流れている。

👍 **慎重に考えましたか？**

① 大動脈には動脈血が流れていますが，**肺動脈に流れているのは静脈血**です。

② 動脈は心臓から勢いよく血液が送り出されるので，逆流を防ぐ弁は必要ありません。**弁を持っているのは静脈**です。

③ 動脈，静脈には平滑筋（へいかつきん）がありますが，**毛細血管は1層の内皮細胞だけで**，平滑筋はありません。

④ 大静脈を通って帰ってきた血液は左心房ではなく右心房に入ります。そして左心室ではなく**右心室から肺動脈を通って肺へ送られます**。

⑤ リンパ管も最終的には鎖骨下静脈と合流するので，リンパ液も血液と混ざります。

⑥ **肝門脈**には消化管で吸収した栄養分が多く含まれていますが，消化管の細胞に酸素をあげた後なので静脈血が流れています。

正解　　①〜⑥　全部誤り

> 肺動脈には静脈血が
> 肺静脈には動脈血が
> 流れています！要注意!!

共通テストで平均 +10点!!

14 心臓は，規則正しく**拍動**（はくどう）を繰り返しています。これは心臓には自動的にリズムをつくり出す特殊な部分があるからで，これを**ペースメーカー**といいます。

> ヒトの心臓では，
> 右心房に洞房結節
> （とうぼうけっせつ）
> というペースメー
> カーがあります。

15 このペースメーカーがあるおかげで，心臓は他からの刺激がなくても収縮することができます。このような心臓の性質を**自動性**といいます。

16 もちろん「もっと速く動け！」といった命令によって拍動は調節されますが，この命令を下す中枢は**延髄**という脳です。血液中の二酸化炭素濃度が高くなると延髄がこれを感知し，**交感神経**によって拍動が促進されます。逆に血液中の二酸化炭素濃度が低くなると延髄がこれを感知し，**副交感神経**によって拍動が抑制されます。

交感神経や副交感神経は，後ほど第15回で学習します。

✏️ では，仕上げましょう！

─┤ トライ！実力問題 **23** ├─

問 次の文の正誤を判断せよ。

① 心臓には自動性があるので，心臓の拍動を調節する中枢は必要ない。

② 血液中の二酸化炭素濃度が高くなると副交感神経によって心臓の拍動が抑制される。

③ ヒトのペースメーカーは右心室にある。

👍 ばっちりですか？

① 心臓には**自動性があります**が，拍動を調節する中枢は必要で，**延髄**が中枢となります。

② 二酸化炭素濃度が高いときは交感神経によって心臓の拍動は促進されます。

③ **ペースメーカー**がある場所は右心室ではなく**右心房**です。

正解	①～③ともすべて誤り

12 免 疫(1)

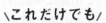

生体防御の種類としくみ
を整理して覚えよう！

\これだけでも/
共通テストで平均点！

1 病原菌などから体を守るしくみは，大きく3つのステップによって行
われます。

> 第1ステップ：**物理的・化学的防御**
> 第2ステップ：**自然免疫**（しぜんめんえき）
> 第3ステップ：**獲得免疫**（かくとくめんえき）

2 まず**第1ステップ**は，病原体などを体内に侵入させないようにするこ
とです。
　皮膚は，図のように，表面を覆う**表皮**（ひょうひ）と深部にある**真皮**（しんぴ）からなります。
表皮の一番下にある**基底層**（きていそう）という部分は，細胞分裂が盛んで，新しい
細胞が表層に向かって押し出されていきます。この間に，細胞は**ケラチ
ン**というタンパク質を合成し，やがて最外層にくると**角質層**（かくしつそう）となります。

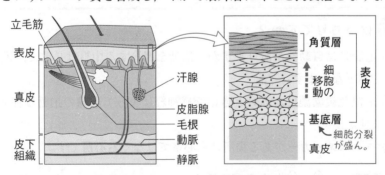

立毛筋
表皮
真皮
皮下組織

汗腺
皮脂腺
毛根
動脈
静脈

角質層
細胞移動の
基底層
真皮

表皮

細胞分裂が盛ん。

3 **角質層の細胞は死細胞**で，体内の水分の蒸発を防いだり，病原菌の侵
入を防ぐ障壁となったりします。ウイルスは，生きている細胞にしか感
染しないので，死細胞の集まりである角質層はウイルスの感染を防止す
る壁となっているのです。

4 皮膚の表面は皮脂腺や汗腺からの分泌物によって，弱酸性に保たれます。多くの病原菌は酸性では繁殖できません。

さらに，汗や涙，唾液には**リゾチーム**という酵素が含まれています。リゾチームは細菌の細胞壁を分解し，細菌の侵入を防ぐ働きがあります。

5 消化管内壁，鼻や気管の内壁などの表面は，**粘液**で覆われた**粘膜**となっていて，病原体が細胞に付着するのを防いでいます。胃では，強酸性の胃酸が分泌されており，殺菌効果があります。また，気管の内壁には多数の**繊毛**があり，繊毛運動によって異物を排除します。

マクロファージ

6 これらの障壁を突破して病原体が体内に侵入してしまうと，**第2ステップ**の**自然免疫**が働きます。

7 第1ステップの物理的・化学的防御も自然免疫に含めることもあります。おもに白血球の一種の**好中球やマクロファージ**による**食作用**によって病原体などの異物を分解するのが自然免疫で，好中球やマクロファージなど食作用に携わる細胞をまとめて**食細胞**といいます。後で登場する樹状細胞も食細胞の一種です。また，**NK細胞**というリンパ球が，
→ナチュラルキラー細胞の略
ウイルスに感染した細胞やがん細胞を攻撃するのも自然免疫になります。

8 自然免疫でも排除できなかった異物に対して，いよいよ**第3のステップ**，**獲得免疫（適応免疫）**が働きます。獲得免疫では自然免疫と違って，以前に感染した病原体の情報が記憶されており，これを**免疫記憶**といいます。

これにより，**再び同じ病原体が侵入した場合は特異的に認識し，1回目よりも非常に早く，非常に強く作用することができます。**

9 獲得免疫に働く細胞として，マクロファージや**樹状細胞**といった白血球，同じく白血球の一種ですが，**B細胞やT細胞**といった**リンパ球**が主役となって働きます。B細胞もT細胞も，もともとは**骨髄**でつくられますが，T細胞は**胸腺**で一人前に成熟するリンパ球です。最終的には，B細胞もT細胞も**ひ臓**や**リンパ節**で増殖します。

10 　獲得免疫には，**体液性免疫**と**細胞性免疫**の2種類があります。そのうち，まず**体液性免疫**から見ていきましょう。

　体内に侵入した異物（これを**抗原**といいます）を，樹状細胞が取り込んで分解します。そして，食作用を行った樹状細胞は，抗原の一部を細胞の表面に突き出します。これを**抗原提示**といいます。提示された抗原の情報は**ヘルパー T 細胞**に伝えられます。すると，ヘルパー T 細胞は増殖し，その抗原に対応する**B 細胞**を刺激します。刺激を受けたB 細胞は増殖し，**抗体産生細胞（形質細胞）**に分化します。

11 　抗体産生細胞は，**免疫グロブリン**というタンパク質からなる**抗体**を作り，体液中に放出します。この**抗体が抗原と特異的に結合して**（これを**抗原抗体反応**といいます），**抗原を無毒化します**。抗体と結合した抗原は，マクロファージの食作用によって処理されます。

12 　一度抗原の侵入によって増殖したヘルパー T 細胞やB 細胞の一部は，**記憶細胞**として残ります。そのため，**2回目以降に同じ抗原が侵入した場合**は，最初の侵入に対する反応（これを**一次応答**といいます）よりも，**素早く強い反応**（これを**二次応答**といいます）を行うことができます。

　このようすをグラフにすると，次のようになります。

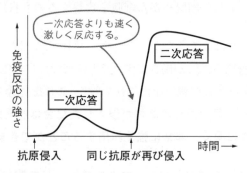

13 　もう1つの獲得免疫，**細胞性免疫**を見てみましょう。

　まず，抗原が樹状細胞に取り込まれて分解され，一部が抗原提示されます。

　……と，ここまでは体液性免疫と同じですね。ここからが異なります！

14 樹状細胞は，ヘルパーT細胞および**キラーT細胞**（さいぼう）に抗原提示し，これらを活性化します。ヘルパーT細胞はマクロファージを刺激し活性化します。<u>活性化したキラーT細胞は，非自己細胞や感染細胞を攻撃して</u>破壊し，それをマクロファージが処理します。
└→ ヘルパーT細胞の働きかけが必要な場合もある

15 この場合も，1回目の侵入の際に増殖したヘルパーT細胞やキラーT細胞の一部が記憶細胞として残るため，2回目以降は素早く強い二次応答が行えます。

細胞に侵入（感染）した病原体は抗体では排除できないので，細胞性免疫の出番なんだ。

16 一般の病原体に対しては体液性免疫が働きますが，ウイルスに感染した細胞やがん細胞に対しては細胞性免疫が働きます。また，移植された臓器に対する**拒絶反応**（きょぜつはんのう）も細胞性免疫によるものです。

17 以上の生体防御をまとめておきましょう！

ここに注目！	生体防御の3段階のシステム	
防御システム	関与する細胞や物質	特徴
第1ステップ **物理的・化学的防御**	**ケラチン，リゾチーム**	**角質層**や**粘膜**で細胞を保護
第2ステップ **自然免疫**（しぜんめんえき）	**好中球**，マクロファージ，樹状細胞，**NK細胞**	非特異的，免疫記憶なし
第3ステップ　**獲得免疫**（かくとくめんえき）		**特異的** **免疫記憶あり**
	体液性免疫	**樹状細胞，マクロファージ，ヘルパーT細胞，B細胞**	**抗体**（こうたい）（免疫グロブリン）による異物除去
	細胞性免疫	樹状細胞，ヘルパーT細胞，**キラーT細胞**（さいぼう），マクロファージ	抗体産生なし

では，問題で確認しましょう。

トライ！実力問題 **24**

問 次の各文の正誤を判断せよ。

① リゾチームはウイルスを分解する酵素（こうそ）である。

② 角質層の細胞は死細胞である。

③ 抗体による免疫（めんえき）を自然免疫という。

④ 体液性免疫では免疫記憶が形成されるが，細胞性免疫では免疫記憶が形成されない。

⑤ ヘルパーT細胞が関与するのが体液性免疫，キラーT細胞が関与するのが細胞性免疫である。

👍 **生体防御の3つのステップの違いが整理できていますか？**

① **リゾチーム**は，ウイルス（外殻（がいかく）はタンパク質でできている）ではなく，細菌の細胞壁の成分である**多糖類（たとうるい）を分解する酵素**です。
    └→ 炭水化物ともいう。

② **角質層**を構成する細胞は死細胞です。そのおかげで，ウイルスの感染を防ぐことができるのです。

③ **抗体**による免疫は自然免疫ではなく**獲得免疫**のなかの**体液性免疫**です。

④ 体液性免疫でも細胞性免疫でも，**獲得免疫では免疫記憶が形成される**のが特徴です。

⑤ ヘルパーT細胞は体液性免疫にも細胞性免疫にも共通して関与します。

正解 ① 誤 ② 正 ③ 誤 ④ 誤 ⑤ 誤

共通テストで平均 **＋10点!!**

18 遺伝的に異なる皮膚や臓器を移植すると，その移植片を排除しようとする**拒絶反応（きょぜつはんのう）**が起こります。これは活性化したキラーT細胞が働く**細胞性免疫**によるものです。

19 たとえば，A系統のマウスの皮膚をB系統の個体に移植すると，1回目は一次応答により約10日後に移植片は脱落します。しかし，このときに増殖したヘルパー T細胞とキラー T細胞の一部が記憶細胞として残っているので，同じ個体に再びA系統のマウスの皮膚を移植すると，今度は二次応答が起こり，約5日で移植片は脱落します。

✏️ **これを使って，次の実験問題に挑戦しましょう！**

─┤ **トライ！実力問題 25** ├─

問 A系統の皮膚を約10日で脱落させたことのあるB系統のマウスに，再びA系統の皮膚，B系統の皮膚，C系統の皮膚を移植した。その結果に関して，正しいものをすべて選べ。

① A系統の皮膚に対しては，多量の抗体を産生して二次応答が起こるので，1回目よりも早く移植片は脱落する。

② B系統の皮膚は二次応答により約5日で，C系統の皮膚は一次応答により約10日で脱落する。

③ 生まれつき胸腺を持たないB系統のマウスにA系統の皮膚を移植すると，拒絶反応は起こらないと考えられる。

👍 **わかりましたか？**

① A系統の皮膚に対して二次応答が起こるのは正しいですが，**拒絶反応**は抗体の関与しない**細胞性免疫**によるものでしたね。

② B系統に同じB系統の皮膚を移植しても異物とは認識されず，拒絶反応は起こりません。C系統の皮膚は初めてなので一次応答が起こります。

③ **胸腺**はT細胞を一人前に成熟させる場所です。その胸腺がないとT細胞は成熟しないため，拒絶反応は起こらなくなってしまいます。

正解 ③

13 免疫(2)

「免疫と医療」の内容はどれも重要！

\これだけでも/
共通テストで平均点！

1 免疫に関する疾患について，見ておきましょう。

2 たとえば，病原体などに対して免疫反応が起こると，生体にとっては病気を防げてもちろん都合がいいですね。ところが，**免疫反応が過敏に起こってしまい，自分自身に不都合な反応が起こる**場合があります。それが**アレルギー**で，特に血圧低下や呼吸困難などの全身症状を示す場合は**アナフィラキシーショック**といいます。

3 たとえば，特定の食物に含まれている物質を抗原と認識し，それに対して過剰に反応してしまうのです。花粉に対する花粉症も同様です。このようなアレルギーを引き起こす抗原を**アレルゲン**といいます。

4 通常は自分自身の細胞や物質に対しては免疫反応は起こりません。このような状態を**免疫寛容**といいます。ところが，**自分自身の細胞や物質に対して免疫反応が起こってしまう**場合があり，これを**自己免疫疾患**といいます。関節の細胞が攻撃されて，関節が炎症を起こして変形してしまう**関節リウマチ**や，インスリンを分泌する細胞が攻撃されて，インスリンがほとんど分泌されなくなることで起こる<u>Ⅰ型糖尿病</u>などは自己免疫疾患です。
p.92 ◄──┘

5 逆に，**免疫反応が低下してしまう**病気もあります。

その代表例が<u>エイズ</u>です。エイズは，**HIV**（ヒト免疫不全ウイルス）
└→ AIDS（後天性免疫不全症候群の略）
というウイルスがヘルパーT細胞に感染して，これを破壊してしまうことで起こります。ヘルパーT細胞は体液性免疫にも細胞性免疫にも関与する細胞でしたね。そのため，エイズの患者は獲得免疫の働きが極端に低下してしまい，健康な人なら発症しないような病原菌に感染され発症してしまう**日和見感染**を起こしたり，がんを発症しやすくなったりしてしまいます。

6 免疫現象をうまく利用した医療行為も行われています。

まずは，おなじみの**予防接種**です。予防接種では，おもに**弱毒化または無毒化した抗原**などを接種し，免疫記憶を形成させておきます。これにより，特定の病気に対する抵抗力を強め，発症を予防することができます。この予防接種の際に接種するものを**ワクチン**といいます。

7 もう1つが**血清療法**です。これは，あらかじめ他の動物(ウマなど)に病原体や毒素を接種して抗体を産生させておき，その抗体を含む血清を患者に接種して，病気を治療しようとするものです。**ジフテリア**や**破傷風**など緊急を要する病気の治療や**毒ヘビ**にかまれたときにも行われます。

p.59

✎ それでは，さっと問題で確認しましょう！

トライ！実力問題 **26**

問 次の文の正誤を判断せよ。
① アレルギーは免疫反応が低下したために起こる。
② 関節リウマチやⅠ型糖尿病は自己免疫疾患である。
③ エイズではT細胞が破壊されるので細胞性免疫だけが低下する。
④ 血清療法ではあらかじめ他の動物につくらせた抗原を接種する。
⑤ 予防接種では抗体を接種して病気を治療することができる。

👍 ばっちりですね！

① 過敏症とも呼ばれ，免疫反応が過敏に起こるのが**アレルギー**です。
② その通りです！
③ **ヘルパーT細胞**が破壊されると，細胞性免疫だけでなく体液性免疫も低下します。
④ **ワクチン**の場合は毒性を弱めた**抗原**を接種しますが，**血清療法**では抗原ではなく**抗体**を接種します。
⑤ **予防接種**は，弱毒化した抗原を接種し，病気を予防するのが目的です。

正解 ① 誤 ② 正 ③ 誤 ④ 誤 ⑤ 誤

14 ホルモン（チロキシン）

チロキシン分泌の
しくみを完ペキに！

\これだけでも/
共通テストで平均点！

1 ホルモンは，**分泌腺**から**血液中**に分泌され，血液によって全身に運
└→「ぶんぴつ」とも読む
ばれ，特定の器官や組織に働きかける物質のことです。

2 このようなホルモンを分泌する腺を，
内分泌腺といいます。それに対して，汗
や消化液を分泌する腺は**外分泌腺**といい
ます。

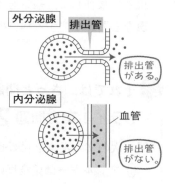

3 外分泌腺には，その**分泌物を運び出すた**
└→汗腺や消化腺
めの管(これを**排出管**といいます)があり，
物質は体外や消化管内に分泌されます。内
分泌腺にはそのような**排出管はなく，直接**
血液中に物質を分泌します。

4 ホルモンは血液によって全身に流れますが，**作用する細胞は決まって**
います。ホルモンが作用する器官を**標的器官**，作用する細胞を**標的細**
胞といいます。

5 このように作用する細胞が決まるのは，その標的細胞にのみ**そのホル**
モンと結合する受容体があるからです。

6 では，最も重要な(共通テストで超頻出！)内分泌腺である**甲状腺**とそ
のホルモン調節について見ていきます。
　　甲状腺に刺激を与えるのは，**脳下垂体前葉**から分泌される**甲状腺**
刺激ホルモンです。この刺激ホルモンによって甲状腺は発達し，**チロ**
キシンというホルモンを分泌します。
　　チロキシンは，おもに代謝(特に**異化**)を促進するホルモンです。

第2章
生物の体内環境の維持

📝 では，さっそく予想問題に挑戦です！

トライ！実力問題 **27**

　若いオタマジャクシのある内分泌腺**X**と**Y**について，次の実験をした。変態した場合は＋，変態しなかった場合は－で示してある。なお，両生類の変態は甲状腺から分泌されるチロキシンによって促進されることが知られている。

	ふつうの水で飼育	**X**の抽出液を含む水で飼育	**Y**を移植して，ふつうの水で飼育
Ⅰ　**X**だけを除去	－	＋	－
Ⅱ　**Y**だけを除去	－	＋	＋
Ⅲ　**X**と**Y**を除去	－	＋	－

問1　これらの実験には，次のどの対照実験を行う必要があるか。

① 何もしないで，ふつうの水で飼育する実験

② **X**や**Y**以外の内分泌腺を除去する実験

③ **X**や**Y**を除去するのと同様の傷をつけるが除去しない実験

④ **X**や**Y**の抽出液を注射する実験

問2　**X**，**Y**は脳下垂体と甲状腺のいずれかである。どちらが甲状腺か。

① **X**　　② **Y**

問3　チロキシンを雄のハツカネズミに注射すると，どのようなことが起こると予想されるか。

① 何の変化も起こらない。　　② 代謝が促進される。

③ 血液中の**Ca**量が変動する。　　④ 雄形質の発現が抑えられる。

👍 どうですか。少し難しかったですか？

問1　定番の**対照実験**を問う問題です。

生物の場合，いろいろな条件を与えて実験します。たとえば，『○●◎□』の4つの条件を与えて，結果が＋だったとします。でも，このままでは，このうちのどれが＋にさせた原因かがわかりません。そこで，たとえば，『●が原因』ということを確かめたいと思ったら，**●だけ除外して，他の○◎□は同様に与えて**実験します。その結果が－になれば，●が原因であることが確かめられるのです。これが対照実験です。

　○●◎□以外の新しい条件などを加えては対照実験になりません。

$$\begin{cases} ○●◎□ \longrightarrow ＋ \\ ○\ \ ◎□ \longrightarrow －(\Leftarrow ●が原因であることを確かめる対照実験) \end{cases}$$

　この**X**や**Y**を除去する実験では，皮膚を切り，**X**や**Y**以外の，たとえば神経や血管の一部も傷つけてしまっているはずです。**X**や**Y**を切除して変態しなくなっても，それは**X**や**Y**がなくなったからではなく，他の組織が傷ついたことやそれによるストレスのためかもしれません。

　そこで，同様の傷はつけるけれど除去しないという実験をして，ちゃんと変態すれば，やはり**X**や**Y**が必要なのだということがわかるのです。

問2　変態に直接働くのは，**甲状腺**（こうじょうせん）から分泌される**チロキシン**です。でも，いくら甲状腺があっても，**脳下垂体（前葉）**（のうかすいたいぜんよう）がないと，甲状腺は刺激されず，チロキシンも分泌されません。でも逆に，脳下垂体や甲状腺がなくても**チロキシンを与えてやれば変態できる**はずです。

　ここでは，**X**と**Y**の両方を除去しても**X**の抽出液を与えると変態しているので，この**X**がチロキシンを分泌している甲状腺とわかります。

　残った**Y**が脳下垂体ということになります。ⅠとⅡのふつうの水で飼育している場合を図解すると，次のようになります。

問3　チロキシンは**哺乳類では代謝（特に異化）の促進**に働きます。

正解　　問1　③　　問2　①　　問3　②

7 また，最終的に分泌されたチロキシン自身が，脳下垂体前葉に**フィードバック**します。具体的には，血液中のチロキシンの濃度が高くなると，脳下垂体前葉からの刺激ホルモン分泌を**抑制**するようにフィードバック
┗→甲状腺刺激ホルモン
バックし，逆に，チロキシン濃度が低くなると，脳下垂体前葉からの刺激ホルモン分泌を**抑制しない**ようにフィードバックします。その結果，血液中のチロキシン濃度は，**ほぼ一定に保たれる**のです。

✏️ では，どんどん問題を解いてみましょう！

⌐ トライ！実力問題 **28** ⌐

　ネズミの甲状腺を除去し，10日後に調べると，除去しなかったネズミにくらべて，代謝の低下が見られた。除去後5日目から，一定量のチロキシンをある溶媒（ようばい）に溶かして5日間注射したものでは，10日後でも代謝の低下は起こらなかった。この結果から，チロキシンは代謝を高める働きがあると推論した。

問1　上の推論を証明するために必要な対照実験はどれか。

① 甲状腺も除去せず，チロキシンも注射しない実験

② チロキシン注射に加え，除去後5日目に甲状腺を移植する実験

③ 除去後5日目からこの実験に用いた溶媒だけを注射する実験

④ 除去後5日目からチロキシン以外のホルモンを注射する実験

問2　甲状腺を除去して10日後に代謝の低下が見られたネズミの血液中で，最も増加していると考えられるホルモンは何か。

① チロキシン　　② 甲状腺刺激ホルモン　　③ アドレナリン

👍 できましたか？

問1　またまた，対照実験の問題です。

　「**5日目からチロキシンを溶媒に溶かして注射 → 代謝が低下せず**」
代謝が低下しなかったのがチロキシンのためだと証明したいのですから，チロキシンは除外して，他はまったく同じく，**5日目から溶媒を注射**する実験をします。その結果，代謝が低下すれば代謝を高めるのにチロキシンが必要とわかります。

問2 甲状腺を除去すれば，当然チロキシンは分泌されず，血液中のチロキシンの濃度は減少します。すると，これが脳下垂体前葉にフィードバックして，その結果，脳下垂体前葉からの**甲状腺刺激ホルモン**の分泌が促進され，甲状腺刺激ホルモンの濃度が上昇します。

正解　問1　③　　問2　②

8 最後にもう1つ付け加えましょう。

甲状腺は脳下垂体前葉に支配されていたわけですが，さらに脳下垂体前葉を支配する親玉がいるのです！　それが**間脳視床下部**です。
└→ p.86

この間脳視床下部には，神経なのに分泌を行う特殊な神経細胞があり，これを**神経分泌細胞**といいます。そして，この細胞が分泌する物質を**神経分泌物質**といいます。これも血液中に分泌されるので，一種のホルモンなのですが，これが脳下垂体前葉に刺激を与えます。脳下垂体前葉に対して，『甲状腺刺激ホルモンを分泌せよ！』という刺激を与える神経分泌物質は，**甲状腺刺激ホルモン放出ホルモン**と呼ばれます。

9 甲状腺から分泌されたチロキシンは，先ほど見たように，脳下垂体前葉にもフィードバックしますが，この間脳視床下部にもフィードバックします。これらをまとめると，次のようになります。

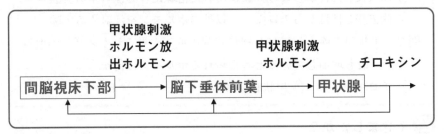

10 これ以外の重要なホルモンは，第16回と第18回で学習します。

まだまだたくさんあるように思うかもしれませんが，たとえばチロキシンと同じように，○○刺激ホルモンによって分泌が促されるホルモンは，チロキシン以外では，**副腎皮質**から分泌される**糖質コルチコイド**しか，共通テストでは問われません。

では，ラストの問題です！

トライ！実力問題 29

ネズミの甲状腺を除去し，その3週間後からホルモン**A**を一定量注射し続けた。このとき，ホルモン**A**と脳下垂体から分泌されるホルモン**B**の血中濃度は図の**ⓐ**，**ⓑ**のように変化した。

問1 この実験で，ホルモン**A**の注射量を5倍に増やすと，ホルモン**B**の血中濃度はどのような変化を示すか。

① **ⓑ** ② **ⓒ** ③ **ⓓ** ④ **ⓔ**

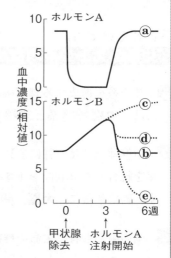

問2 問1で，ホルモン**A**を5倍に増やし，そのまま3か月にわたり注射し続けると，ネズミの状態はどうなるか。

① 活発な活動を示し，体重が増加する。
② 呼吸数が減り，体温は低下し，動作が緩慢となる。
③ 活発な活動を示すが，体重が著しく減少し，やがて衰弱する。

問3 このとき，間脳視床下部から分泌されるホルモン**C**の血中濃度を測ると，**A**，**B**のいずれかと同様の変動を示した。いずれか。

 バッチリでしたか？

問1 甲状腺を除去して減少した**A**は**チロキシン**，逆に増加した**B**は**甲状腺刺激ホルモン**です。チロキシンを大量に注射するのですから，**B**を抑制するようにフィードバックされ，**B**の濃度は減少します。

問2 チロキシンは**代謝**（特に**異化**）の促進でした。異化＝分解＝呼吸が促進されると，どんどん分解反応が進むので，体重は減少していきます。

問3 チロキシンは**間脳視床下部**にも**フィードバック**するので，**C**（甲状腺刺激ホルモン放出ホルモン）も**B**と同様の変動を示します。
└→甲状腺刺激ホルモン

正解 問1 ④ 問2 ③ 問3 **B**

15 ヒトの神経系の構成

特に自律神経の働きは重要です!!

1 神経系を構成する神経細胞は**ニューロン**と呼ばれます。ヒトの神経系は，**中枢神経系**と**末梢神経系**に分けられます。

2 中枢神経系は，特に多数のニューロンが集まっており，さまざまな情報を統合したり判断を下す**中枢**となる領域で，**脳**と**脊髄**に分けられます。脳はさらに，**大脳**，**間脳**，**中脳**，**小脳**，**延髄**などに分けられます。

3 脳の中でも特に**生命の維持**に重要な役割を持つのが，**間脳**，**中脳**，**延髄**で，これらをまとめて**脳幹**といいます。

4 末梢神経系には**自律神経系**と**体性神経系**があります。意思とは無関係に恒常性の維持に重要な役割があるのが自律神経系です。体性神経系は，外界からの感覚を中枢に伝える**感覚神経**と，中枢から骨格筋などに情報を伝える**運動神経**からなります。

5 自律神経はさらに**交感神経**と**副交感神経**の2種類に分けられます。

6 以上をまとめると，次のようになります。

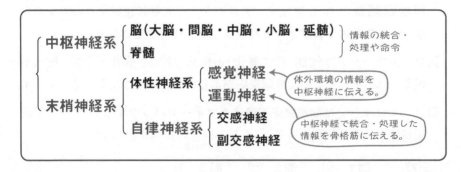

7 ふつう，交感神経と副交感神経は**互いに正反対に働き**，一方が促進に働けば他方は抑制，一方が収縮であれば他方は弛緩（しかん），一方が縮小であれば他方は拡大に働きます。このような働き合いを**拮抗作用**（きっこう さ よう）といいます。

	心 臓 拍 動	消化液 分 泌	瞳 孔（どう こう）	立毛筋	汗 腺（かん せん）
交感神経	促 進	**抑 制**	拡 大	収 縮	汗分泌促進
副交感神経	**抑 制**	促 進	縮 小	分布せず	分布せず

ここに注目！ **いつでも交感神経が促進というわけではない！**

- 一見ややこしそうだが，**緊張した状態，闘争的な状態**をつくり出しているのが**交感神経**と覚えておけばよい。逆に，**食後ののんびりと落ち着いている状態**は，だいたい**副交感神経**の働きである。
- ふつうは，交感神経と副交感神経は互いに拮抗的に働くが，**立毛筋や汗腺には交感神経しか分布しておらず**，交感神経からの刺激がなくなると自然に立毛筋は弛緩（しかん）し，汗腺からの汗分泌は減少してしまう。

8 自律神経も末梢神経の一種なので，どこかの中枢とつながっているわけですが，**交感神経はすべて脊髄**（せきずい）**とつながっています。**副交感神経には，中脳とつながるもの，延髄とつながるもの，脊髄とつながるものの3種類があります。

もちろん，自律神経の最高中枢は間脳視床下部ですが，脊髄や中脳や延髄は，いわばサブの中枢のようなものです。

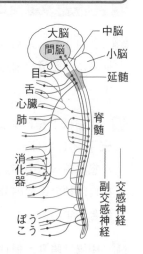

 さっそくチェックです。

トライ！実力問題 30

心臓の拍動を抑制する神経と同じ種類の神経によって引き起こされる現象として，正しいものをすべて選べ。

① 瞳孔(ひとみ)拡大
② 立毛筋弛緩
③ 胃のぜん動運動促進
④ ノルアドレナリン分泌

迷わずに選べましたか？

心臓の拍動を抑制するのは，もちろん**副交感神経**です。①，④ は交感神経によるものです。②の立毛筋には，もともと副交感神経は分布していないのでしたね。消化液分泌促進も消化管の運動促進も，副交感神経の働きです。「促進」＝「交感神経」としてはいけませんよ。

正解 ③

共通テストで平均 **＋10**点!!

9 脳のうち，**大脳**は，さまざまな感覚の中枢および記憶や創造の中枢として機能します。

10 **間脳**は上側にある**視床**と下側にある**視床下部**に分けられます。視床はさまざまな感覚神経の中継点として働き，視床下部は自律神経系や内分泌系の最高中枢として働きます。

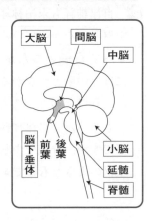

11 **中脳**は瞳孔反射(明るい光が照射されるとひとみが小さくなる反射)や姿勢保持に働きます。**小脳**は，運動の調節や平衡感覚の中枢です。**延髄**

は，呼吸運動や心臓の拍動の中枢です。
　　　　　　　　└→p.68

12　これらの脳のうち，**大脳の機能は停止しても，脳幹の機能が維持され
ている状態**を**植物状態**といいます。植物状態は，正式には**遷延性意
識障害**と呼ばれます。

13　一方，**脳幹を含めたすべての脳の機能が停止して回復が見込めない状
態**を**脳死**といいます。延髄の機能が停止しているので呼吸も心臓の拍動
も停止し，中脳の機能が停止しているので瞳孔が開いたままになります。

✏️ **確認しておきましょう！**

トライ！実力問題 31

次の文の正誤を判定せよ。
① 随意運動の運動量を調節するのは大脳である。
② 脳幹の機能が停止した状態を植物状態という。
③ 脳死の状態になっても呼吸や心臓拍動は続いている。
④ 脳死の状態になったとき，瞳孔が開いたままになるのは小脳の
　機能が停止したからである。

👍 **自信を持って判定できましたか？**

① **随意運動**（意識して手足など体の一部を動かすような運動）を起こさせ
る中枢はもちろん大脳ですが，その運動（力加減など）を調節するのは大
脳ではなく**小脳**です。

② **植物状態**では大脳の機能が停止していますが，**脳幹の機能は維持さ
れています。**

③ 脳幹の機能も停止しているのが**脳死**なので，生命維持装置を使うなど
しなければ，呼吸や心臓の拍動も停止します。

④ **瞳孔反射の中枢**は小脳ではなく**中脳**にあります。

正解　　み〜んな誤り

血糖調節に関与する
ホルモンは頻出！

\これだけでも/
共通テストで平均点！

1 自律神経系と内分泌系の共同作業によって，体内の**恒常性**（こうじょうせい）が保たれています。そのもっとも典型的な例が**血糖調節**（けっとうちょうせつ）です。血糖とは血液中のグルコース（ブドウ糖）のことで，この濃度が常にほぼ一定の範囲内に保たれています。そのしくみを見てみましょう。

2 まずは，血糖濃度が上昇した場合に**血糖濃度を低下させる**しくみです。

ストーリーを押さえよう！ 高血糖の血液が**間脳視床下部**（かんのうししょうかぶ）を刺激する。すると，間脳視床下部は**副交感神経**（ふくこうかんしんけい）によって**すい臓**（ぞう）**ランゲルハンス島B細胞**（とう）（さいぼう）に刺激を与える。また，ランゲルハンス島B細胞は直接高血糖の血液によっても刺激される。いずれにしても，B細胞からは**インスリン**が分泌され，これが肝臓などに働き，細胞内へのグルコースの取り込み，**グリコーゲンの合成**や**グルコースの分解・消費**を促進するので，血糖濃度は低下する。

3 「やややこしい！」と思っている人は，次のように理解しましょう。机が血管で，高血糖とは机の上にプリント（グルコース）がたくさん散乱している状態とします。『机の上のプリントを片づけなさい！』といわれたら，プリントを束ねてホッチキスで止めて引き出しにしまうか，プリントを破（やぶ）ってごみ箱に捨てるかをしますね。**グリコーゲンはグルコース**

を多数結合させてできる**物質**なので，ホッチキスで止めたプリントの束がグリコーゲンに相当します。それをしまう引き出しが肝臓です。

4 逆に，<u>低血糖</u>のときに**血糖濃度を上昇させる**しくみは，次のとおりです。
└→ 血糖濃度が低い状態

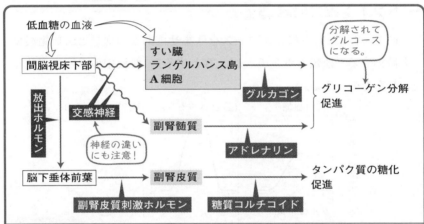

ストーリーを押さえよう！

低血糖の血液が**間脳視床下部**を刺激すると，**交感神経**によって**すい臓ランゲルハンス島Ａ細胞**や**副腎髄質**が刺激される。ランゲルハンス島Ａ細胞からは**グルカゴン**，副腎髄質からは**アドレナリン**が分泌され，**グリコーゲン分解**が促進されて血糖濃度が上昇する。また，ランゲルハンス島Ａ細胞は直接低血糖の血液によっても刺激される。さらに，間脳視床下部は副腎皮質刺激ホルモン放出ホルモンによって**脳下垂体前葉**を刺激し，ここから**副腎皮質刺激ホルモン**を分泌させる。すると，これが副腎皮質を刺激し，副腎皮質から**糖質コルチコイド**の分泌を促す。このホルモンは，組織のタンパク質を分解してアミノ酸にし，さらにこれをグルコースへ変化させる反応（まとめて**タンパク質の糖化**という）を促進し，血糖濃度を上昇させる。

5 血糖濃度の上昇には，これ以外にも，**脳下垂体前葉**から分泌される **成長ホルモン**や**甲状腺**から分泌される**チロキシン**も関与しますが，メインは **4** に登場した3種類です。
└→ グルカゴン，アドレナリン，糖質コルチコイド

6 これらのホルモンや自律神経の働きによって，血糖濃度はほぼ一定の値に保たれていますが，正常な血糖濃度はおよそ**0.1 %**（**100 mg / 100 mL**）です。この数字は覚えておきましょう。

🖊 **では，次の問題に挑戦しましょう。**

┤ **トライ！実力問題 32** ├

図1～3は，ヒトにグルコースを飲ませたあとの血糖と，血糖濃度を調節する2種類のホルモン（**A，B**とする）の血液中の濃度の変化を示したものである。

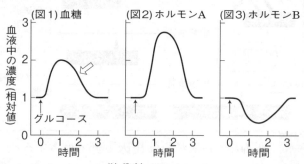

問1 ホルモン**A**の名称と分泌腺を答えよ。

① 糖質コルチコイド　② チロキシン　③ アドレナリン

④ グルカゴン　　　　⑤ インスリン　⑥ 成長ホルモン

⑦ 甲状腺　　　　　　⑧ 副腎髄質　　⑨ すい臓ランゲルハンス島

問2 ホルモン**B**はホルモン**A**と同じ器官から分泌される。ホルモン**B**の名称を**問1**の選択肢から選べ。

問3 図1において，太い矢印で示される血糖濃度の低下はどのようにして起こるか。

① 糖が汗の中に排出される。　② 糖がおもにすい臓に取り込まれる。

③ 糖が尿中に排出される。　　④ 糖がおもに肝臓に取り込まれる。

問4 体のある部分の興奮が高まると，特にグルコースを与えなくて
も一時的に血糖濃度が上昇することがある。ここでいう，体のある
部分とはどこか。
① 大脳皮質　② 小脳　③ 交感神経　④ 副交感神経

問5 問4に関係の深いホルモンを問1の選択肢から2つ選べ。

👍 **ストーリーが頭に入っていれば，バッチリですね！**

問1 図1のように，血糖濃度が上昇するにつれて分泌量が増加してい
るのが図2のホルモン**A**ですね。すなわち，ホルモン**A**は**血糖濃度を
低下させる**ように働くホルモンである**インスリン**ということになりま
す。

問2 図3のホルモン**B**は，血糖濃度が上昇しているときには分泌量が
減っています。すなわち，ホルモン**B**はもともと**血糖濃度を上昇させ
る**ホルモンだから，血糖濃度が上昇しているときには用がないため，
分泌量が低下しているのです。

　血糖濃度を上昇させるホルモンにはグルカゴン，アドレナリン，糖
質コルチコイドのほか，チロキシンや成長ホルモンもありましたが，
問1で答えたインスリンと同じ器官（すい臓）から分泌されるホルモン
なので，**グルカゴン**とわかります。

問3 インスリンはプリント（グルコース）を破る（分解する）か，束ねて
ホッチキスで止めて（グリコーゲンを合成して）机の引き出しにしまう
（肝臓に蓄える）という方法で血糖濃度を低下させるのでしたね。

　グルコース（ブドウ糖）がすい臓に取り込まれたり，汗となって排出
されたりすることはありません（①や②は誤り）。

　インスリンの分泌量が減少し血糖濃度が上昇したままになると，余
分なグルコースが尿中に排出されてしまうことはありますが，図1で
は正常にインスリンも分泌され，血糖濃度もすぐに正常値に戻ってい
るので，グルコースが尿中に排出されるようなことはありません（③も
誤り）。

問4・5 ①の大脳皮質や②の小脳は，血糖濃度調節には関与しません。④の副交感神経が働くと，血糖濃度が下がるはずなので，これも誤り。

　交感神経を刺激すれば，**すい臓ランゲルハンス島A細胞**からの**グルカゴン**や，**副腎髄質**からの**アドレナリン**分泌が促されるので血糖濃度を上昇させることができます。糖質コルチコイドや成長ホルモンやチロキシンも血糖濃度を上昇させますが，交感神経を刺激しても，それらの分泌は促されません。

正解	問1 ⑤・⑨	問2 ④	問3 ④	問4 ③
	問5 ③・④			

共通テストで平均 ＋10点 !!

7　血糖濃度が高くなりすぎたため，尿中に糖が排出されてしまうのが**糖尿病**です。

　この糖尿病には，大きく2種類があります。

8　1つが**Ⅰ型糖尿病**です。これは**自己免疫疾患**の一種で，自分のラン
→1型とも書く。　　　　　　　　　　　　　　→p.76
ゲルハンス島B細胞が免疫細胞によって攻撃されて破壊されてしまい，インスリンがほとんど分泌されなくなることで，血糖濃度を正常値に低下させられなくなっています。

9　もう1つが**Ⅱ型糖尿病**です。Ⅱ型糖尿病の場合は，Ⅰ型とは異なる
→2型とも書く。
原因でインスリン分泌量が低下したり，標的細胞のインスリンに対する応答が低下したりしています。具体的には，インスリンが受容体に結合できなくなったり，受容体に結合しても細胞内にグルコースが取り込めなかったりするため，血糖濃度を正常値に低下させられないことによります。

　これは遺伝的要因も関係しますが，おもに食生活や運動不足などが原因で起こる**生活習慣病**の一種で，日本人の糖尿病の多くはこのⅡ型糖尿病です。

10 健康な人とⅠ型糖尿病患者，Ⅱ型糖尿病患者の食後の血糖濃度と血中インスリン濃度の変化をグラフに表すと次のようになります。

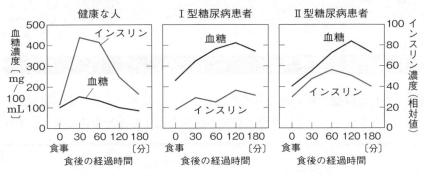

 では，次の問題に挑戦しましょう！

＼ トライ！実力問題 **33** ／

　糖尿病の患者が2名いる（AとBとする）。このうち1人はⅠ型糖尿病，もう1人はⅡ型糖尿病であることがわかっている。患者Aにインスリンを注射すると血糖濃度の低下が見られたが，患者Bにインスリンを注射しても血糖濃度の低下が見られなかった。患者AとBはそれぞれ何型糖尿病だと考えられるか。

👍 正しく考えられましたか？

　Ⅱ型糖尿病で標的細胞の応答が低下している場合は，いくらインスリンを注射しても効果がありません。よって，まず患者BのほうがⅡ型糖尿病と判断できます。そして，残る患者AはⅠ型糖尿病ということになります。

　Ⅰ型糖尿病の原因はインスリンがほとんど分泌されないためで，標的細胞のほうに異常があるわけではありません。そのためインスリンを注射すれば，インスリンの働きがちゃんと表れて血糖濃度が低下します。よって，確かに患者AはⅠ型糖尿病と考えられます。

正解　　**患者A：Ⅰ型糖尿病　　患者B：Ⅱ型糖尿病**

17 腎臓

尿生成の
ストーリーを押さえよう！

\これだけでも/
共通テストで平均点！

1 ヒトの**腎臓**は腰のあたりの背側に2つあります。ここで老廃物が体外に排出されるのです。まずは腎臓の構造と液体の流れを見てみましょう。

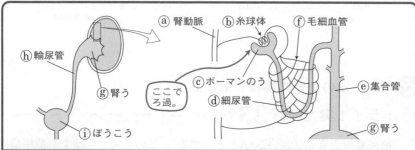

- ⓐ 腎動脈
- ⓑ 糸球体
- ⓕ 毛細血管
- ⓗ 輸尿管
- ⓖ 腎う
- ⓒ ボーマンのう
- ⓓ 細尿管
- ⓔ 集合管
- ⓘ ぼうこう
- ⓖ 腎う

ここでろ過。

ストーリーを押さえよう！

腎動脈（ⓐ）から来た血液は，**糸球体**（ⓑ）と呼ばれる血管を通る間に**ろ過**される。このとき，大きな成分（**血球やタンパク質**）は血管の壁を通れないので，**ろ過されない**。ろ過された液体は，糸球体を包む袋状の**ボーマンのう**（ⓒ）にこし出され，こし出された液体を**原尿**という。

原尿は，**細尿管（腎細管）**（ⓓ）や**集合管**（ⓔ）を通る間に，グルコースや水，無機塩類などが，まわりを取り巻く**毛細血管**（ⓕ）に再吸収される。再吸収されなかった成分が**腎う**（ⓖ）に送られるが，これが**尿**で，やがて腎臓から**輸尿管**（ⓗ）を通って**ぼうこう**（ⓘ）へ送られ，体外に排出される。

2 再吸収されるとき，正常であれば**グルコースは100％再吸収**されます。血糖濃度が高すぎると細尿管でグルコースが再吸収しきれなくなり，その結果，尿中にグルコースが排出されてしまいます。これが**糖尿病**の症状です。

3　水や無機塩類の再吸収量は調節されます。水の再吸収は**脳下垂体後葉**から分泌される**バソプレシン**によって促進されます。

　また，無機塩類(特にNa^+)の再吸収は**副腎皮質**から分泌される**鉱質コルチコイド**によって促進されます。

4　つまり，血液の塩分濃度が濃くなると，**バソプレシンが分泌されて集合管での水分の再吸収が盛んになる**ので，血液の塩分濃度は低下し，排出される**尿は濃くなり，量は減少します。**

5　また，血液中の塩分濃度が低下すると，**鉱質コルチコイドが分泌されてNa^+の再吸収が促進され**，その結果排出される尿中のNa^+は減少するので，薄い尿となります。

🖊 **問題をやりながら覚えてしまいましょう。**

トライ！実力問題 **34**

問　□に入る適語をそれぞれ下から選べ。

　哺乳類の腎臓では，□**1**□血の血しょう成分のうち，タンパク質以外の低分子物質は□**2**□からこし出され，尿素など不要な成分を含む尿がつくられるが，その際，水・塩類・糖などの大部分は□**3**□において再吸収される。もし，水分が不足して血液の塩分濃度が高くなると□**4**□からホルモンが分泌され□**5**□の再吸収が促進されて，□**6**□い尿がつくられるとともに，血液の濃度は正常に戻る。

① 動脈　　　② 静脈　　　③ 糸球体　　　④ ボーマンのう
⑤ 細尿管　　⑥ 腎う　　　⑦ 副腎皮質　　⑧ 脳下垂体後葉
⑨ 水　　　　⑩ 塩類　　　ⓐ 薄　　　　　ⓑ 濃

👍 **できましたね！**

1～3　腎動脈によって送り込まれた血液が，**糸球体からボーマンの**うへこし出されます。再吸収が行われる場所は**細尿管**と集合管ですね。

4～6　いま，血液中の水分が不足しているのですから，あまり水分を排出しないように，つまり，**水分を再吸収**すればよいのです。したがって，

分泌するホルモンは**バソプレシン**ですね。その結果，尿として排出される水分は減少するので，**濃い尿**がつくられることになります。

6　このように，尿の排出は単に老廃物の排出だけでなく，結果的に**血液の濃度調節**にも重要な働きがあることがわかります。

7　糸球体とボーマンのうを合わせて**腎小体(マルピーギ小体)**，糸球体とボーマンのうと細尿管を合わせて**ネフロン(腎単位)**といいます。

$\begin{cases} 糸球体 ＋ ボーマンのう ＝ 腎小体(マルピーギ小体) \\ 糸球体 ＋ ボーマンのう ＋ 細尿管 ＝ ネフロン(腎単位) \end{cases}$

です。

　このようなネフロンが1つの腎臓に100万個もあります。すごいですね。

共通テストで平均 ＋10点!!

8　間脳の視床下部には，ホルモンを分泌するという特殊な神経細胞があり，これを**神経分泌細胞**といいました(p.82を復習しましょう！)。

9　神経分泌細胞の中には，視床下部から脳下垂体後葉にまで突起が伸びているものがあります。この場合は，神経分泌細胞でつくられたホルモンが脳下垂体後葉にまで送られて，脳下垂体後葉から血液中に分泌されます。実は**バソプレシン**は，このような特徴を持つホルモンなのです。

10　すなわちバソプレシンが**生成されるのは間脳視床下部**ですが，バソプレシンを**分泌するのは脳下垂体後葉**ということになります。

11 このように，**生成される部分と分泌する部分が異なるホルモン**としては，共通テストでは**バソプレシンのみ覚えておけば大丈夫**です。それ以外のホルモンは生成した場所から分泌されます。たとえばチロキシンは甲状腺で生成されて甲状腺から分泌されます。
→p.78

✏️ **次の問題で確認しておきましょう！**

トライ！実力問題 35

次の文の正誤を判定せよ。
① 間脳の視床には，神経分泌細胞がある。
② バソプレシンは脳下垂体後葉で生成されるホルモンである。
③ 甲状腺刺激ホルモン放出ホルモンは間脳視床下部から分泌される。
④ バソプレシンは間脳視床下部から分泌される放出ホルモンによって分泌が促進される。

👍 **大丈夫でしたね！**

① 神経分泌細胞があるのは，間脳の視床ではなく**視床下部**です。視床下部は視床の一部ではありません。
② バソプレシンを生成しているのは**間脳視床下部**です。
③「○○放出ホルモン」は，すべて**間脳視床下部で生成され間脳視床下部から分泌される**ホルモンです。
④ バソプレシンの分泌には放出ホルモンは関与しません。

正解　　① 誤り　　② 誤り　　③ 正しい　　④ 誤り

18 体温調節と 体液の濃度調節

どちらも恒常性の
重要テーマ！

\これだけでも/
共通テストで平均点！

1 血糖濃度の調節に次いでよく出題されるのが**体温調節**です。

2 寒いとき（体温が低下したとき）の調節は次の通りです。

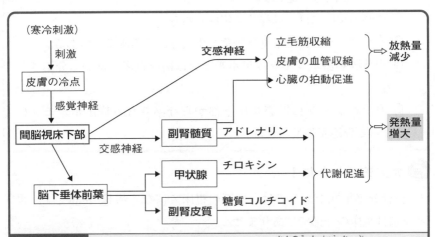

| ストーリーを押さえよう！ | 寒冷刺激や体温低下の情報を**間脳視床下部**が感知すると，**交感神経**によって**立毛筋**の収縮や皮膚血管の |

収縮が起こる。これらにより皮膚表面から逃げる熱の量（**放熱量**）が
減少する。また交感神経によって**副腎髄質**からの**アドレナリン**分
泌や**甲状腺刺激ホルモン**によって**甲状腺**からの**チロキシン**分泌，
副腎皮質刺激ホルモンによって**糖質コルチコイド**分泌が促され
る。これらのホルモンは肝臓や筋肉での**代謝**を促進することで**発熱**
量を増大させる。

3 このように，**放熱量の減少と発熱量の増大**という2段階で体温低
下を防いでいるのです。

4 では逆に暑いとき（体温が上昇したとき）の調節も見ておきましょう。

> **ストーリーを押さえよう！** 暑さの刺激や体温上昇の情報を **間脳視床下部** が感知すると，**交感神経** によって **汗腺**（かんせん）からの汗の分泌を促進する。これにより **放熱量** が増大する。

暑さの刺激

```
┌──────────────┐      ┌──────────────┐      交感神経
│  皮膚の温点  │ ───→ │ 間脳視床下部 │ ───→  汗腺からの   ⇨  放熱量増大
└──────────────┘      └──────────────┘       汗分泌促進
```

5 暑いときに汗をかくのは覚えなくてもわかりますね。ただ，**汗の分泌を促進** するのは副交感神経ではなく **交感神経** であることに注意しましょう！もともと **汗腺には副交感神経は分布していない** のです。
└→ p.85

早速問題で確認です！

トライ！実力問題 **36**

次の文の正誤を判断せよ。
① 体温調節の中枢は延髄である。
② 寒冷刺激を感知すると，交感神経によって糖質コルチコイドの分泌が促進される。
③ 立毛筋が収縮したり血管が収縮することで発熱量が減少する。
④ 寒いときは交感神経，暑いときは副交感神経がおもに働く。

👍 しっかり見抜けましたか？

① **体温調節の中枢** は間脳視床下部です。
② 糖質コルチコイド分泌は **副腎皮質刺激ホルモン** によって促進されます。
③ **立毛筋収縮** や **血管収縮** によって発熱量ではなく **放熱量** が減少します。
④ 暑いときに汗の分泌を促すのも **交感神経** です。

正解 やっぱり **みんな誤り**

6 ヒトの体液の濃度調節は，腎臓について学習した内容でもうバッチリなのですが，念のために…。

7 たくさん汗をかいたりして水分が失われると，体液濃度が上昇します。体液濃度が上がるときには，これを下げる働きがあります。

> **ストーリーを押さえよう!** 体液濃度が上昇すると，**間脳視床下部**がこれを感知し，**脳下垂体後葉**からの**バソプレシン**分泌を促す。バソプレシンは腎臓の**集合管**に働いて**水の再吸収を促進**し，その結果体液濃度は低下する。

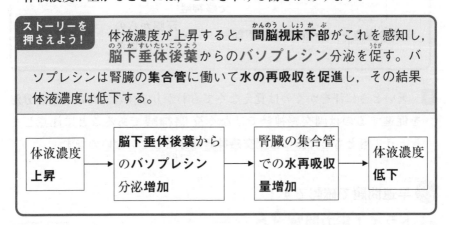

8 逆に，多量の水を飲んだりして体液濃度が低下した場合は，脳下垂体後葉からのバソプレシン分泌が抑制され，集合管での水の再吸収量が減少します。

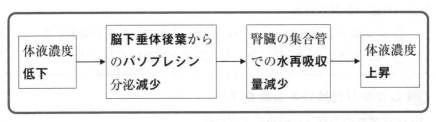

9 ヒトでは，このようにして体液濃度（おもには水分量）が調節されています。

10 　もし体液の濃度が細胞内液より高いと，細胞膜を通して水が細胞外へ浸透して細胞が縮んでしまいます。逆に，細胞内液の濃度のほうが高いと水が細胞内に浸透して細胞が膨らんだり，極端な場合には破裂してしまったりします。

水は低濃度の側から高濃度の側へ，濃度を等しくする方向に移動します。

第2章 生物の体内環境の維持

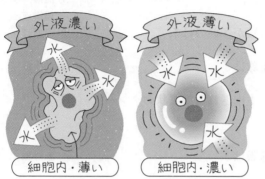

外液濃い　外液薄い

細胞内・薄い　細胞内・濃い

✏️ では問題で確認です！

┤ トライ！実力問題 37 ├

　多量の水を飲んだ場合に起こる現象として正しいものを1つ選べ。
① バソプレシンの分泌が促進された。
② 集合管での水の再吸収量が減少した。
③ 交感神経が腎臓に作用した。
④ 刺激ホルモンが腎臓に作用した。
⑤ 尿量は減少する。

👍 大丈夫ですね！

　多量の水を飲むと，体液濃度が低下します。すると脳下垂体後葉からのバソプレシン分泌が減少します（① は誤り）。その結果，腎臓の集合管での水の再吸収量が減少し（② は正しい），尿量が増加します（⑤ は誤り）。この場合は自律神経や刺激ホルモンは関与していません（④ も ⑤ も誤り）。

正解　　②

スピードチェック

ここもカンペキに
押さえよう！

ポイントをチェック！

できたら
チェック

答え

☐ ① 体液を3種類挙げよ。

① 血液，リンパ液，組織液

☐ ② 血球のなかで最も数が多いのは？

② 赤血球

☐ ③ 血液凝固に働く血球は？

③ 血小板

☐ ④ 血液凝固の過程で生成される繊維状のタンパク質を何というか。

④ フィブリン

☐ ⑤ 動脈血が流れる静脈は？

⑤ 肺静脈

☐ ⑥ 血液を肺へ送り出す心臓の部屋は？

⑥ 右心室

☐ ⑦ ヒトのペースメーカーは，心臓の4つの部屋のうちどれの位置にあるか。

⑦ 右心房

☐ ⑧ 動脈，静脈，毛細血管のうち弁があるのは？

⑧ 静脈

☐ ⑨ 皮膚の最外層を何というか。

⑨ 角質層

☐ ⑩ 唾液や汗や涙に含まれ生体防御に働く酵素は？

⑩ リゾチーム

☐ ⑪ 自然免疫のみで働く食作用を持った代表的な白血球は？

⑪ 好中球

☐ ⑫ NK細胞によるがん細胞への攻撃は自然免疫か獲得免疫か。

⑫ 自然免疫

☐ ⑬ おもにヘルパーT細胞やキラーT細胞に抗原提示する白血球は？

⑬ 樹状細胞

☐ ⑭ 抗体を産生する抗体産生細胞に分化するリンパ球は？

⑭ B細胞

☐ ⑮ あらかじめ他の動物につくらせた抗体を接種して病気を治療する方法を何というか。

⑮ 血清療法

☐ ⑯ 甲状腺を除去すると，甲状腺刺激ホルモンの分泌は増加するか減少するか。

⑯ 増加する

☐ ⑰ 自律神経の最高中枢は？

⑰ 間脳視床下部

☐ ⑱ 消化管の運動を促進する自律神経は？

⑱ 副交感神経

☐ ⑲ 汗腺からの汗の分泌を促進する自律神経は？

⑲ 交感神経

☐ ⑳ 血糖量を増加させるホルモンのなかで交感神経によって分泌が促進されるものを2つ答えよ。

⑳ アドレナリン，グルカゴン

☐ ㉑ 糸球体＋ボーマンのうの構造を何というか。

㉑ 腎小体(マルピーギ小体)

☐ ㉒ 血しょうの成分のうち，腎臓の糸球体で原尿にろ過されない物質は？

㉒ タンパク質

☐ ㉓ 腎臓の集合管からの水の再吸収を促すホルモンは？

㉓ バソプレシン

☐ ㉔ ㉓のホルモンを生成しているのはどこか？

㉔ 間脳視床下部

☐ ㉕ ㉓のホルモンの作用により尿量は増えるか減るか。

㉕ 減る

☐ ㉖ 腎臓を構成する最小単位は？

㉖ ネフロン(腎単位)

☐ ㉗ ㉖の構造は1つの腎臓に何個あるか。
　　ア　1万個　　イ　10万個　　ウ　100万個

㉗ ウ

☐ ㉘ 脳幹に含まれる脳を3つ挙げよ。

㉘ 間脳，中脳，延髄

☐ ㉙ 糖尿病のある人にインスリンを注射したが，血糖濃度は低下しなかった。この人は何型糖尿病か。

㉙ Ⅱ型糖尿病

1 ある場所に生育する植物全体をまとめて植生^{しょくせい}といいます。

植生の外観上の様相(つまり外側から見たときのようす)を相観^{そうかん}といいます。相観は，その植生の中で最も数が多く占有している面積が大きい種によって変わります。このように，相観を決定づける種を優占種^{ゆうせんしゅ}といいます。たとえば，いろいろな植物が生えていてもススキが一番目立っていたら優占種はススキで，「ススキの草原」ということになります。

2 どのような植生が形成されるかは，気温や降水量の影響を受けます。

年間の降水量が多い地域では森林^{しんりん}，降水量が少ない地域では草原^{そうげん}が形成されます。さらに降水量が少ない地域や，非常に気温が低い地域では植物がまばらにしか生えない荒原^{こうげん}となります。

3 特に森林では，高さによっていろいろな植物が見られます。このような垂直的な構造を階層構造^{かいそうこうぞう}といいます。

4 ふつうに見られる森林では，階層構造は高いほうから順に，高木層^{こうぼくそう}，亜高木層^{あこうぼくそう}，低木層^{ていぼくそう}，草本層^{そうほんそう}に分けられます。熱帯などの森林(熱帯多雨林)では高木層の上にさらに大高木層^{だいこうぼくそう}などが存在しますし，亜寒帯の森林(針葉樹林)のように2層くらいしか発達しない場合もあります。 →p.115

また，地表付近にはコケ植物や菌類が生育する地表層^{ちひょうそう}があり，地中では土壌^{どじょう}が発達しています。

5 高木層の樹木の葉が茂ってつながっている部分を林冠^{りんかん}，地表に近い部分を林床^{りんしょう}といいます。これらを図解すると次のようになります。

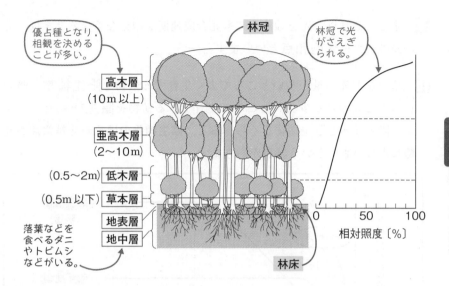

6 林冠をはじめとする各層の葉によって光がさえぎられるため，下の層になるほど上から到達する光の量が減少していきます。そのため，それぞれの層で，その光の量に適応した植物が生育しています。

7 植物は光合成によって二酸化炭素を吸収してグルコースなどの有機物を合成しますが，同時に呼吸も行っていて，グルコースなどの有機物を分解して二酸化炭素を放出しています。光合成速度と呼吸速度の差を**見かけの光合成速度**といいます。

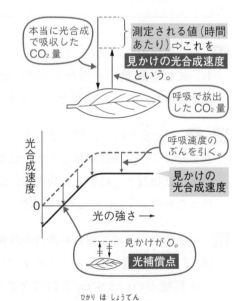

8 見かけの光合成速度についてグラフを描くと右のようになります。見かけの光合成速度が0になる（すなわち光合成速度と呼吸速度がつり合っている）ときの光の強さを**光補償点**といいます。光補償点よりも光の強さが強くないと植物は生育できません。

9 また，それ以上光を強くしても光合成速度が増えなくなるときに，その光の強さを**光飽和点**（ひかりほうわてん）といいます。

10 草原など光の量が多いところでよく生育する植物を**陽生植物**（ようせいしょくぶつ），暗い林床（りんしょう）など光の量が少ないところで生育できる植物を**陰生植物**（いんせいしょくぶつ）といいます。陽生植物と陰生植物をくらべると，**陰生植物のほうが光補償点も光飽和点も小さい**（ひかりほしょうてん）という特徴があります。

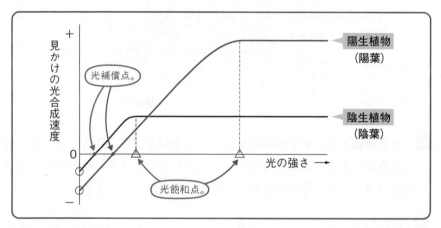

11 同じ植物のなかでも，日なたについている葉は，陽生植物の特徴を持ち，これを**陽葉**（ようよう），日当たりの悪い場所についている葉は，陰生植物の特徴を持ち，これを**陰葉**（いんよう）といいます。

12 **4** で**土壌**（どじょう）という言葉が出てきましたので，土壌について少し見ておきましょう。土壌とは単なる土ではなく，岩石が風化して細かい粒状になった鉱物質と，動物や植物の遺骸が分解されてできた有機物が混ざり合ったものです。そのため，保水性や通気性がよく，栄養塩類を含みます。

13 土壌の表面には，落葉や落枝が堆積し，それらの分解が行われている層（**落葉分解層**（らくようぶんかいそう））があり，その下には，分解によって生じた有機物（これを**腐植**（ふしょく）といいます）が豊富に含まれる層（**腐植土層**（ふしょくどそう））があります。さらにその下は，有機物があまり含まれず岩石が風化しただけの層になります。

14 落葉分解層や腐植土層の厚さは，**落葉や落枝の供給速度**とそれらが有機物に分解され，さらに無機物に**分解される速度**によって決まります。

15 **熱帯多雨林**では落葉などが毎年大量に供給されますが，高温多湿の環境で**分解速度**が**非常に速い**ので，照葉樹林や針葉樹林などにくらべると，**落葉分解層や腐植土層は薄くなっています**。

　そのため熱帯多雨林などでは，森林を伐採してしまうと，雨などで簡単に土壌が流出してしまい，森林が回復されにくくなってしまいます。

では，問題で仕上げましょう。

トライ！実力問題 **38**

問　次の文の正誤を判断せよ。

① 林床に生育する植物は，光補償点が低く，光飽和点が低いという特徴がある。

② 植生に影響を与える要因はおもに気温で，降水量はそれほど関与しない。

③ 熱帯多雨林では植物量が膨大に多いので，落葉層や腐植土層が非常に厚くなっている。

では，確認しましょう！

① 林床に生育する植物は陰生植物であることが多いので，正しい文です。

② 気温も影響しますが，降水量も重要な要因です。**降水量の違いによって森林→草原→荒原**と変化します。

③ **熱帯多雨林**は植物量が膨大に多いのは事実ですが，**分解速度が非常に速い**ので，落葉層や腐植土層は薄くなっています。

正解　　① 正　　② 誤　　③ 誤

20 遷　移

何百年という年月で
のスケールの大きな
出来事！

\これだけでも/
共通テストで平均点！

1 植生が時間とともに一定方向に変化していく現象を**遷移**（**植生遷移**）
といいます。

2 火山が噴火して生じた溶岩が冷えて固まったような**裸地**には，まだ**土壌は形成されておらず**，植物の種子や根もありません。このような場所から始まる遷移を**一次遷移**，いったん形成されていた森林が伐採されたり山火事に遭った跡のように，土壌も形成されていて植物の種子や根も残っているところから始まる遷移を**二次遷移**といいます。

3 一次遷移について，その過程を見ていきましょう。

最初は岩石だらけですが，風化によって砂ができ，**地衣類**やコケ植物
_{菌類と緑藻類などが共生したもの。チズゴケなど}
が侵入してきます。地衣類やコケ植物の遺骸が分解され，さらに風化も進み，土壌が形成され始めると，**ススキやイタドリ，チガヤ**などの草本
└→最初からこれらの草本植物が侵入してくることもある。
が侵入し，陽生植物の**草原**となります。

4 このような遷移の比較的初期に侵入する植物を**先駆種**（**パイオニア種**）といいます。一般に栄養分が乏しい中でも生育でき，**乾燥に強く，種子は小さく，多量の種子を遠くに散布できる**といった特徴があります。

5 さらに土壌の形成が進むと木本も生育するようになり，**低木林**を経て，陽生植物の特徴を持つ陽樹が立ち並んだ**陽樹林**となります。

たとえば，日本の**温帯**では**アカマツ，クロマツ，コナラ，クヌギ，ハンノキ**などの陽樹からなる陽樹林が，**亜寒帯**では**シラカンバ，ダケカンバ**などの陽樹からなる陽樹林が形成されます。
└→一般的にはシラカバともよく呼ばれる。

6 この**7種類**の陽樹は覚えておく必要があります。

そのうち覚えよう……かな……なんて思っていないで，今すぐに覚えましょう。この7種類を20回くらい唱えると覚えられます！

「え～！」なんて言わずに覚えますよ！ちゃんと声に出して覚えるのですよ！では，いきます！！

はいっ！『アカマツ，クロマツ，コナラ，クヌギ，ハンノキ，シラカンバ，ダケカンバ』

それ！『アカマツ，クロマツ，コナラ，クヌギ，ハンノキ，シラカンバ，ダケカンバ』

そ－れ！『アカマツ，クロマツ，コナラ，クヌギ，ハンノキ，シラカンバ，ダケカンバ』

まだまだ！『アカマツ，クロマツ，コナラ，クヌギ，ハンノキ，シラカンバ，ダケカンバ』

もう一丁！『アカマツ，クロマツ，コナラ，クヌギ，ハンノキ，シラカンバ，ダケカンバ』

一度は嫌がらずに覚えてしまいましょう！

とどめだ！『ア○○○，ク○○○，コ○○，ク○○，ハ○○○，シ○○○○，ダ○○○○』

……どうですか？覚えられたでしょう？

7 陽樹林が形成されると，その林冠によって光がさえぎられるため，**林床の照度が低下します**。そのため，光補償点の低い**陰樹の幼木は生育できますが，光補償点の高い陽樹の幼木は生育できません**。やがて林冠を覆っていた陽樹の高木が寿命で枯れていくと陽樹は次第に数を減らし，植生は陽樹と陰樹が混ざった**混交林**となり，さらに長い年月が経過すると陰樹を主とした**陰樹林**になります。

8 陰樹林の林床も照度は低いですが，陰樹の幼木はこのような環境でも生育できるため，植生は陰樹林のまま安定します。

このようにして安定した状態を**極相（クライマックス）**といい，極相に達した森林を**極相林**といいます。

〔一次遷移〕

裸地 → 草原 → **陽樹林** → 混交林 → **陰樹林（極相林）**

9 陽樹を7種類覚えたので，**陰樹**も7種類くらい覚えなければいけないのかな〜と思っているでしょ！残念ながら，陰樹は7種類くらいでは足りません！でも一度に覚えると大変なので，まず優先的に，下の4種類を覚えておきましょう。残りの陰樹は，次の第21回で覚えることにしましょう！

10 同じ陰樹でも，やはり場所によって異なりますが，優先的に覚えてもらうのは，日本の暖温帯(おおよそ関東地方以西の平地)で見られる陰樹です。この4種類を覚えます！
　　　　　　　　　　　└→ p.115照葉樹林

日本の代表的な陰樹…シイ・カシ・クスノキ・タブノキ

---

11 シイやカシに関しては，もう少し細かくスダジイやアラカシなどが登場することもありますが，覚えるときはシイ，カシで十分です。では，これも今すぐこの場で覚えてしまいましょう。

覚えられましたか？

　はい！「シイ，カシ，クスノキ，タブノキ」！
　それ！「シイ，カシ，クスノキ，タブノキ」！
　ほい！「シイ，カシ，クス○○，タブ○○」！
　もう一丁「シ○，カ○，ク○○○，タ○○○」！
　とどめに「○イ，○シ，○○ノキ，○○ノキ」！

12 極相林になったからといって，まったく変化がないわけではありません。極相林の**林冠**を構成している高木が枯れたり，台風で倒れたりすると，その部分にぽっかりと穴が開き，林床に光がさし込みます。
　　ここを**ギャップ**といいます。

13 ギャップが小さい場合は，その林床にもともと生育していた陰樹の幼木がそのまま成長するだけですが，大きいギャップが生じた場合は，多くの光が林床に届くようになります。すると，それまで土壌中に埋没していたり飛来してやってきた**陽樹の種子**が発芽して成長するようになり，
　　　　　　└→ 光が十分にあれば陽樹のほうが陰樹より成長がはやい。
その部分には陽樹が林冠を形成するようになります。このような，ギャップにおける樹木の入れ替わりを**ギャップ更新**といいます。

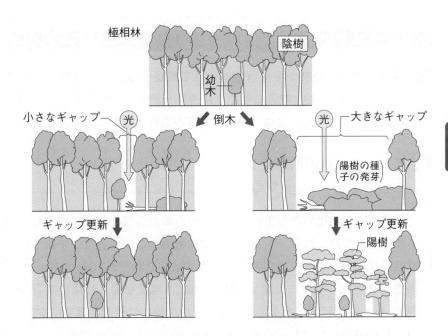

14 極相林であっても，常にいろいろな大きさのギャップが形成されています。そのため，極相林であっても陰樹のみから構成されているのではなく，**陽樹が混ざった部分がモザイク状に存在**し，それによって極相林の樹種の多様性が保たれているのです。

15 遷移に伴って，植物がつくる種子の大きさや数も変化します。
　一般に**遷移の初期の植物がつくる種子**は，**小さくて軽く，数が多く，風によって遠くに散布されるもの**（かぜさんぷがた**風散布型**）**が多い**という傾向にあります。これにより新しい裸地に，いち早く進入することができます。

16 一方，遷移の後期に出現する植物がつくる種子は，大きくて重く，数は少なく，種子はただ重力によって落下するだけのもの（じゅうりょくさんぷがた**重力散布型**）が多くなります。これはなぜなのでしょう？

17 種子には発芽に必要な栄養分が蓄えられていますが，既に他の植物が繁茂している中で生育するためには，種子に多くの栄養分を蓄えておき，日光を受けることができる上部にまで伸長してから葉を広げる必要があるのでしょう。

18 遷移（せんい）の過程を最初から何百年もかけて観察することは困難です（1人では無理！）が，火山の周辺のように遷移が始まった時期の異なる植生を調べることで，その土地における遷移の過程を知ることができます。

✎ では，仕上げの問題です。

トライ！実力問題 **39**

ある地方で植生の調査を行った。これらの森林は干拓（かんたく）後に成立したものと考えられており，人為的影響は比較的少ない。表は，干拓地の成立年代の異なる **a ～ g** の調査地の森林に，それぞれ 10 m × 10 m の調査区を設け，そこに出現した植物の被度（ひど）（地表を覆（おお）う面積の割合の程度）を 2024 年に調べたものである。表中の数字は被度階級を示す。

（1；1 ～ 10 %　2；11 ～ 25 %　3；26 ～ 50 %　4；51 ～ 75 %　5；76 ～ 100 %）

調査地		a	b	c	d	e	f	g
干拓地の成立年代		1893	1821	1632	1579	1467	1180	770
高木層	アカマツ	5	2	2				
	タブノキ			4	4	4	2	
	スダジイ					2	4	5
亜高木層	タブノキ	1	3	2				
	サカキ				1	3	1	1
	ヤブツバキ				1	1	1	
	モチノキ					2	1	1
低木層	アカメガシワ	2						
	タブノキ	1	1	1	1	1	1	1
	ヤブツバキ				1	2	1	
	サカキ				1	1		1
	スダジイ						1	1
草本層	ススキ	1	1					
	ジャノヒゲ	4	1	1	1	3	1	1
	ヤブコウジ			1	1	1	2	2
	ヤブラン				1	1	1	

問1 次のうち，明らかに陽生植物と考えられるものはどれか。

① アカマツ・タブノキ・スダジイ

② アカマツ・アカメガシワ・ススキ

③ タブノキ・スダジイ・サカキ

④ ススキ・ジャノヒゲ・ヤブコウジ

問2 この地域では，陽樹林の成立から陰樹林に遷移するのにおよそ何年かかると考えられるか。

① 50～200年   ② 200～400年   ③ 400～600年

④ 600～800年   ⑤ 800年以上

👍 問2が理解できましたか？

問1 まず，**タブノキやスダジイ**といった**陰樹**が含まれている①や③はすぐに消去できます。②の**アカマツ**は**陽樹**として覚えたのでOKです。あとは，表で考えます。ジャノヒゲやヤブコウジは，**e～g**のタブノキやスダジイが立ち並んだ陰樹林の林床でも生育しています。ということは，陰生植物の特徴を持っているはずです。よって，④は×です。

問2 たとえば，**a**は1893年に干拓したので2024年までおよそ130年ちょっとしか年月がたっていない＝それほど遷移も進んでいない，ということです。逆に，**g**は770年に干拓したので，1250年以上も年月がたち，遷移も進んでいるということです。陽樹林が成立しているのは**a**なので，干拓して二次遷移が始まっておよそ130年ちょっとたった時点で陽樹林が成立していることがわかります。そして，**c**の混交林の状態を経て**d**でタブノキの陰樹林が成立しています。すなわち，干拓してから440年ちょっとで陰樹林まで遷移が進んだのです。

よって，440－130 ＝310年で，陽樹林から陰樹林へと遷移したことがわかります。

陽樹林ができてから陰樹林ができるまでの期間。

約130年 → **a** 陽樹林が成立

干拓 — 約440年 → **d** 陰樹林が成立

正解 **問1** ②   **問2** ②

覚えることがいっぱい！
でも，大丈夫！！

21 バイオーム

＼これだけでも／
共通テストで平均点！

1 ある地域の植生と，そこに生息する動物などを含めた生物のまとまりを**バイオーム**（**生物群系**）といいます。

2 海洋のバイオーム，河川のバイオームなどもありますが，学習するのは陸上のバイオームです。陸上のバイオームは，その外観（相観）を決めている植生に基づいて分類されます。

3 前回，遷移について，植生は最終的に陰樹林となって安定する（極相）と学びました。でも，必ずしも陰樹林となって安定するわけではありません。森林を形成できないほど降水量が少ない場所では，**草原**で安定してしまいます。また，同じ極相林でも，**気温**や**降水量**によって，構成する樹木の種類は異なります。

4 このように，どのような環境であればどのようなバイオームが見られるかをまとめると，次の図のようになります。

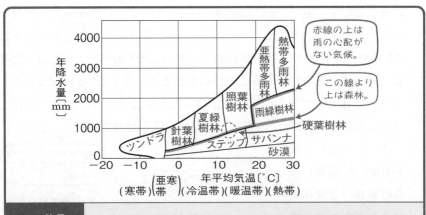

赤線の上は雨の心配がない気候。

この線より上は森林。

硬葉樹林

ここに注目！ 次のようにして，バイオームと気候の関係を覚えよう。

● 上図に**赤い斜め線**がある。この斜め線より上を右から順に見てい

く。**赤い斜め線から上は**，雨に関してはあまり心配がなく**気温に左右される**バイオームで，気温の高いほうから**熱帯多雨林**，**亜熱帯多雨林**，**照葉樹林**，**夏緑樹林**，**針葉樹林**，**ツンドラ**と並ぶ。斜め線より下は，おもに雨に左右されるバイオームである。気温が高く熱帯地方であっても，雨が少なくなると**雨緑樹林**，さらに雨が少なくなると**サバンナ**，もっと少ないと**砂漠**となる。気温が暖温帯や冷温帯あたりでも，雨が多ければ照葉樹林や夏緑樹林だが，雨が少なくなると**ステップ**，もっと少なければ**砂漠**となる。

> 図の右端のほう。←
> 図のまん中あたり。←

では，ひとつひとつのバイオームについて見ていきましょう。

5 まずは，**熱帯多雨林**です。非常に種類が多く，つる性の植物なども繁茂しています。代表的な樹種は，**ヒルギ・フタバガキ**です。熱帯多雨林よりも少し気温も降雨量も少ないのが**亜熱帯多雨林**で，**ビロウ・ヘゴ・ソテツ・ガジュマル・アコウ**などが見られます。

これらの地域の海沿いや川沿いでは，水面に**呼吸根**と呼ばれる根が発達し，塩分濃度の高い海水などからでも吸水できる特徴を持った樹林が発達します。このような樹林を**マングローブ林**といいます。<u>具体的な木の名前ではありませんよ。</u>
　　└→ マングローブ林を構成する木はオヒルギ，メヒルギなど。

6 次は**照葉樹林**です。代表的な樹木は，**シイ・カシ・クスノキ・タブノキ**などで，いずれも**常緑**で，広い葉を持ち，**クチクラ層**が発達して**光沢のある葉**を持つのが特徴です。

7 **夏緑樹林**にいきましょう。代表的な樹木は**ブナ**などで，広い葉を持ちますが，冬に非常に低温になる地域に分布するので，秋には**落葉**する落葉樹であるのが特徴です。

8 次は**針葉樹林**です。代表的な樹種は，**シラビソ・コメツガ・トウヒ・エゾマツ・トドマツ**で，常緑で細い針のような形の葉が特徴です。エゾマツやトドマツは，日本では北海道特有です。

9 **ツンドラ**は，非常に**低温**のため生物の遺体もなかなか**分解されず**，栄養塩類が不足しがちな場所で**地衣類**や**コケ植物**を中心に成立します。

10 雨緑樹林は，雨季と乾季があるような熱帯に成立します。**チーク**が代表的な樹木です。広い葉ですが，**乾季には落葉**するのが特徴です。

11 硬葉樹林は，**冬に雨が多く夏に乾燥する地中海沿岸**などに成立します。**オリーブ**が代表的な樹木で，照葉樹林と同じくクチクラ層が発達し，葉が硬くて小さく**常緑**です。

12 **サバンナ**（熱帯草原）や**ステップ**（温帯草原）は，さらに降水量の少ない地域に見られ，雨が少なすぎるので森林が形成できず，**草原で安定**します。いずれにしても，イネ科の草本が中心です。サバンナのほうが気温が高く，降水量も少しは多いので，草原の中に樹木も点在しますが，ステップでは，ほとんど樹木は見られません。

13 最後は**砂漠**です。もちろん，極端に雨が少ない地域で見られ，一年生草本やサボテンなどがかろうじて見られる程度です。

14 このように，各地域でどのような植生で極相になるかを見ているわけですから，代表例として挙げてきた樹木は**極相林を形成できる樹木**，すなわち陰樹といえます。

したがって，陽樹は先ほどの7つでOKですが，各地域で見られる（特に日本で見られる次の3つのバイオームについては）代表的な陰樹として，次の樹木は完璧に覚えておきましょう。

→ p.108

日本の各群系での代表的な陰樹
照葉樹林…シイ・カシ・クスノキ・タブノキ
夏緑樹林…ブナ
針葉樹林…シラビソ・コメツガ・トウヒ・エゾマツ・トドマツ

---

15 陽樹のときと同じように，まずは口に出して何回も唱えてください。**照葉樹林**（暖温帯）は大丈夫ですね？では，次は**夏緑樹林**です。ブナを覚えておけば大丈夫です。せ～の！『ブナブナブナブナブナブナブナブナブナブナ……』もう覚えましたね。

→ 思い出せない人はp.110を確認！

さあ，**針葉樹林**です。同じマツでも，アカマツやクロマツは針葉樹ではありますが，針葉樹林の例としては不適当です。なぜなら，アカマ

┌→ 陽樹は『ア○○○・ク○○○・コ○○・ク○○・ハ○○○・シ○○○○・ダ○○○○』でしたね。大丈夫ですか？

ツやクロマツは陽樹だからです。陽樹では極相群落は形成できません。

針葉樹林の例としては，**極相林を形成できるもの**である必要があるのです。同じマツでも，エゾマツやトドマツは陰樹なので，極相林を形成することができるのです。

では，覚えていきましょう！『シラビソ・コメツガ・トウヒ・エゾマツ・トドマツ』はい！『シラビソ・コメツガ・トウヒ・エゾマツ・トドマツ』それっ！『シラ○○・コメ○○・トウ○・エゾ○○・トド○○』もういっちょう！『シ○○○・コ○○○・ト○○・エ○○○・ト○○○』

✏ **ふ〜っ，たくさんありますね。問題の中で覚えていきましょう！**

トライ！実力問題 40

問 右の図は，降水量と気温によるバイオームを示したものである。次の説明にあてはまるバイオームを図中より選べ。

a 月平均気温が26℃前後で年中ほとんど変化がなく，著しい乾季はない。フタバガキなど多くの樹種が生育し，森林の高さは40〜50mにも達する。

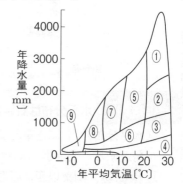

b 熱帯の地域で雨季と乾季があり，イネ科の草原の中に点々と木本が生育する。

c 北半球の中緯度地域にあって，一年に明らかな夏季と冬季がある。ブナなどの落葉性の樹木が優占する。

👍 **ややこしかったですか？**

a **平均気温が26℃前後**なので熱帯地方です。**著しい乾季がないこと**，**フタバガキなどの樹種が多い**ことから，**熱帯多雨林**と判断できます。

b 雨季と乾季ということばだけで雨緑樹林を思い出すかもしれませんが，草原で木本は点在している程度なので森林ではありません。同じ草原でも**熱帯地域で**，**木本が点在**することから**サバンナ**と判断できます。

c なんといっても**ブナ**！で判断できますね。ブナブナブナブナ，**夏緑樹林**です。

念のため選ばなかったものも確認しておくと，②は雨緑樹林，④は砂漠，⑤は照葉樹林，⑥はステップ，⑧は針葉樹林，⑨はツンドラです。

正解 a ① b ③ c ⑦

これも大事！

16 最後に，日本のバイオームの分布を見ておきましょう。

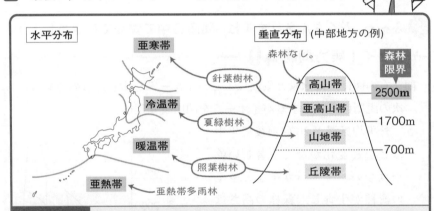

ここに注目！ 水平分布は気候帯との関係に，垂直分布は高さに注目。

● 〔水平分布〕 北海道東北部は気候分布では**亜寒帯**で，**針葉樹林**が発達する。北海道南部から東北あたりは気候分布では**冷温帯**で**夏緑樹林**，関東以西は**暖温帯**で**照葉樹林**，沖縄などは**亜熱帯**で**亜熱帯多雨林**が発達する。

● 〔垂直分布〕 同じ場所でも山の高さによって植物の種類が変わる。**中部地方**を例に見てみると，まず，ふもとから700 mくらいの高さまで（**丘陵帯**という）は**照葉樹林**が発達し，700〜1700 mあたり（**山地帯**という）では**夏緑樹林**，1700〜2500 m（**亜高山帯**という）では**針葉樹林**が発達する。2500 m以上の高さ（**高山帯**という）では，あまりに低温や乾燥・強風が厳しすぎて森林が形成されない。そこで，この**約2500 m**の高さを**森林限界**という。高山帯では，**ハイマツ**などの低木と高山植物の草本が生えている程度である。

さあ，問題で確認しましょう！

⊢ トライ！実力問題**41** ⊣

問1 中部日本の太平洋側で，ブナのおもな生育域の標高はどれか。

① 200〜500m   ② 800〜1500m   ③ 1800〜2400m

問2 次の植物のうち，すべてがブナの森林より低い標高で生育する
ものはどれか。

① シラビソ・コメツガ・ダケカンバ

② スダジイ・ツバキ・コメツガ

③ タブノキ・クヌギ・クスノキ

④ シラビソ・コナラ・クヌギ

⑤ ハイマツ・ミズナラ・タブノキ

問3 問2の植物のうち，すべてがブナの森林より高い標高で生育す
るものはどれか。

第**3**章

生物の多様性と生態系

👍 **問2・3は消去法でいきましょう。**

問1 **ブナ**とくれば，**夏緑樹林**。夏緑樹林は**山地帯**で，中部地方では
標高**700〜1700m**付近です。

問2 ブナの夏緑樹林より標高が低い場所で生育するのは**照葉樹林**です。
シラビソやコメツガは**針葉樹林**なので，ブナよりも標高の高い場所で
生育します。ハイマツも**高山帯**で見られるので，ずっと標高は高い場
所です。これらが含まれている①②④⑤は消去できます。③のタブノキ
やクスノキは照葉樹林なのでOKですね。クヌギはどのあたりに生育
（たど）（→陽樹）
するのかは学習しませんでしたが，正解には辿り着けます。

問3 逆に，照葉樹林のスダジイ（シイの一種です）やツバキ，タブノキが
（→照葉樹です）
含まれている②と⑤は×です。④のコナラも陽樹ですが，どのあたり
（バツ）
で生育するか学習しませんでした。でも，クヌギは③で登場し，ブナよ
り低い場所で生育するとわかったので，④は×と判断できます。残った
①が正解です。ダケカンバは，亜高山帯や亜寒帯で生育する陽樹です。

正解   **問1** ②   **問2** ③   **問3** ①

22 生態系

基本は食う食われるのつながり！

\これだけでも/
共通テストで平均点！

1 ある地域の生物を取り巻いている環境には，気温・光・水・大気・土壌のような**非生物的環境**と，食物になる生物や天敵・ライバルになる生物のような**生物的環境**とがあります。ある地域の**生物と非生物的環境**をまとめて**生態系**といいます。

2 非生物的環境が生物に及ぼす影響を**作用**，生物が非生物的環境に及ぼす影響を**環境形成作用**といいます。

3 生態系を構成している生物は，**生産者**と**消費者**に分けられます。

　生産者は，光合成を行う植物や植物プランクトンなどで，二酸化炭素からグルコースなどの有機物を文字通り生産することができる生物です。

　消費者は，直接あるいは間接的に，生産者が生産した有機物に依存している生物で，動物も菌類も細菌も消費者になります。

4 生産者を直接食べる植物食性動物を**一次消費者**，一次消費者を食べる動物食性動物を**二次消費者**と呼び，さらに三次消費者，四次消費者と続きます。生産者，一次消費者，二次消費者のように，栄養の摂り方によって各段階に生物を分けたものを**栄養段階**といいます。

5 また，消費者のなかで，枯死体や排出物に含まれる有機物を最終的に
┌→ 二酸化炭素・アンモニア
無機物にまで分解して非生物的環境に戻す役割を担っている**菌類**や**細菌**などを特に**分解者**といいます。

6 一次消費者と生産者，二次消費者と一次消費者の間には食う食われるの関係があります。食う側を**捕食者**，食われる側を**被食者**といいます。このような捕食-被食の関係の一連のつながりを**食物連鎖**といいます。

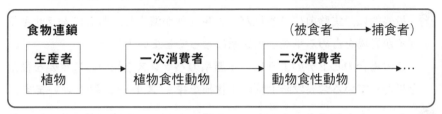

7 実際には，これらは複雑な網目状の関係になっており，これら全体を**食物網**といいます。

8 このように，自然界では複雑な食物網が形成されていて，そのために，生態系の一部が破壊される**攪乱**が起こったり，一部の生物種が急に個体数を増減させたりしても，やがてもとの状態に戻ります。生態系にはこのような復元力があり，**生態系のバランス**が保たれています。

9 しかし，生態系を構成する生物のなかから**特定の生物種が存在しなくなることで生態系に大きな影響が及ぼされる**ことがあります。

その例として，海岸の岩場における実験があります。

この岩場には，藻類，フジツボ，ムラサキイガイ，カメノテ，ヒザラガイ，カサガイ，イボニシに似た巻貝，ヒトデなどが右図のような捕食-被食の関係のもとに生息しています。

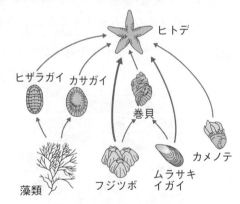

10 この岩場からヒトデだけを除去し続けると，まず，おもにヒトデに捕食されていたフジツボが，その後ムラサキイガイが増加しました。それによって生息場所を奪われた藻類やカメノテが減少し，藻類を捕食していたヒザラガイやカサガイも減少しました。

11 このようにある生物の増減(この場合はムラサキイガイの増加)が，その生物と直接捕食-被食の関係にない生物(この場合は藻類やヒザラガイ，カサガイ)に影響を及ぼすことを**間接効果**といいます。

12 最終的に，実験前には多様だった生物種が減少し，おもにムラサキイガイが岩場を占める単純な生態系になってしまいました。

　この場合のヒトデのように，生態系のバランスを保つのに重要な役割を果たしている栄養段階上位の生物種を**キーストーン種**といいます。

13 草のような生産者，それを食べる昆虫などの一次消費者，さらにそれを食べる鳥類などの二次消費者…と栄養段階ごとに生物の個体数について調べ，生産者を底辺として積み重ねていくと，ふつうはピラミッド状になります。これを**個体数ピラミッド**といいます。

14 ただ，生産者が樹木のときなど，捕食者より被食者が大きい場合，一次消費者の数のほうが生産者の数よりも多くなることもあります。

15 このほか，生物量(生物体の総量。ふつう，重量で示します)についてもピラミッド状になり，これを**生物量ピラミッド**といいます。この場合も，生産者(植物プランクトン)の重量より一次消費者(動物プランクトン)の重量のほうが大きくなるような例外もあります。
植物プランクトンの増殖が速い場合食い尽くされない

16 個体数ピラミッドや生物量ピラミッドを**生態ピラミッド**といいます。

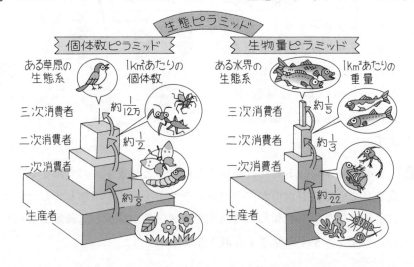

生態ピラミッド

個体数ピラミッド　　　　　　　　　生物量ピラミッド

ある草原の生態系　　1km²あたりの個体数　　ある水界の生態系　　1km²あたりの重量

三次消費者　約$\frac{1}{12万}$　　三次消費者　約$\frac{1}{5}$

二次消費者　約$\frac{1}{2}$　　二次消費者　約$\frac{1}{3}$

一次消費者　　　　　　　　一次消費者

　　　　約$\frac{1}{8}$　　　　　　約$\frac{1}{22}$

生産者　　　　　　　　　生産者

122

では，まず次の1問を見てみましょう！

トライ！実力問題 42

ある小さな湖の調査を夏に行った。水温は表層から深さ5mまでは約25℃，それより深くなると低下し，水深8mから10mの湖底までは10℃であった。水中の溶存酸素は，6mよりも浅い水深では多かったが深くなると減少し，底ではまったく消失していた。岸辺に水草は少なかったが，岩には付着藻類が生育し，タニシなどの巻貝がそれを食べていた。光が十分に届く約4mまでの浅い水中では，浮遊性の植物プランクトンが繁殖し，それらをミジンコなどの動物プランクトンが食べていた。湖にはフナやハヤが多数いて動物プランクトンを食べていたが，これら小形魚類はナマズなどの肉食魚に食べられていた。

問1 この湖の環境と生物の作用・環境形成作用の記述例として，最も適当なものはどれか。次の①～④のうちから1つ選べ。

① ミジンコはフナなどの小形魚類に食べられるが，絶滅はしない。

② 光合成によって植物プランクトンが増加し，水中に達する光が減少する。

③ 深い層では，水温と溶存酸素濃度の両方が低くなる。

④ 雨や地表からの流入水に含まれる栄養塩類が生物に不可欠である。

問2 この湖では，夏に，水深の深いところで溶存酸素が少なくなる。その理由として，**誤っているもの**は何か。次の①～⑤のうちから1つ選べ。

① 光が不足し，光合成が十分に行われない。

② 水圧と低い水温が生物の活動と分布を阻害する。

③ 従属栄養を行う微生物がいる。

④ 浅い層との水温差で水の混合が妨げられる。

⑤ 湖底には，有機物が蓄積している。

👍 **わかりましたか？**

問1 ①～④はすべて正しい内容が書かれています。問いは正しいかどうかではなく，**作用・環境形成作用の例として適当かどうか**です。

第3章 生物の多様性と生態系

①は，ミジンコとフナについての生物どうしの関係の記述で，非生物的環境との関係を書いてあるわけではありません。

②は，光という非生物的環境が植物プランクトンという生物に作用を及ぼし，その結果増加した植物プランクトンによって光がさえぎられ，光量が減少するという環境形成作用が及ぼされています。

③の深い層で水温が低下するのは，生物とは関係ありません。

④は栄養塩類が生物に必要というだけで，環境形成作用については何も書かれていません。

問2　① 水中の溶存酸素が多くなるのは，植物プランクトンが盛んに光合成を行って酸素を放出するからです。逆に，水深の深いところでは，光合成が十分行われないため水中の酸素が少なくなります。

② 生物が活発に活動すれば，呼吸によって水中の酸素を使ってしまうので溶存酸素は減少します。生物の活動を阻害したのであれば，水中の酸素は減少しないはずです。

③ 従属栄養生物が呼吸を行うから溶存酸素は減少します。

④ 光合成によって溶存酸素が多い浅い層の水と混ざり合わないため，水深の深いところでは溶存酸素が少ないままになります。

⑤ 蓄積した有機物を分解者が呼吸で分解するときに水中の酸素が使われます。

正解　　**問1**　②　　**問2**　②

もう1問挑戦しましょう！

トライ！実力問題 **43**

　ある海岸の岩場には，次ページの図のような生物が生息している。この図中のフジツボ，イガイ，カメノテおよび藻類は固着生物であるが，イボニシ，ヒザラガイ，カサガイ，ヒトデは岩場を動き回って生活している。矢印は，食物連鎖におけるエネルギーの流れを示しており，各線上の数字は，ヒトデの食物全体の中での各生物が占める割合を％で示したものである。

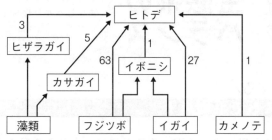

問 この生態系に適当な広さの実験区を設け，ヒトデを完全に除去すると，まず，イガイとフジツボが著しく数を増やした。藻類は減少し，さらにヒザラガイやカサガイも減少した。この現象に関して，次の文の正誤を判断せよ。

① ヒザラガイやカサガイが減少したのは，増加したフジツボやイガイに捕食されたためである。

② 藻類が減少したのは増加したフジツボやイガイに生息場所を奪われたためである。

③ 上位捕食者が減少すると，被食者でない生物にも間接的に影響を及ぼす場合がある。

④ 上位捕食者の存在は，生態系を単純化している。

⑤ イガイとフジツボが増えたのは，両種に集中していたヒトデの捕食がなくなったためである。

👍 大丈夫ですね！

① 図を見ると，ヒザラガイもカサガイもヒトデには捕食されますが，フジツボやイガイとは捕食-被食の関係にはありません。

② フジツボもイガイも藻類も岩に固着して生息します。これらが増加したため，藻類は固着する場所がなくなり減少したと考えられます。

③ ヒトデという上位捕食者がいなくなると直接の被食者ではない藻類も減少したので，正しいといえます。これが間接効果でしたね。

④ 逆に上位捕食者の存在によって生態系が複雑に保たれているといえます。

⑤ その通りです！

正解 ① 誤 ② 正 ③ 正 ④ 誤 ⑤ 正

\これだけでも/
共通テストで平均点！

1 第22回でも扱いましたが，生態系では，小さな変動があっても一定の範囲内での変動におさまる**生態系のバランス**が保たれています。このように，**撹乱（かくらん）**があってももとの状態に戻ることができるのは，**生態系の復元力（ふくげんりょく）**があるからです。

2 しかし，この復元力を超える大きな撹乱が起こると，生態系のバランスが崩れてしまいます。

　近年は人間の活動によって生態系に大きな影響が及ぼされています。それらについて見てみましょう。

3 川や海に有機物などの**汚濁（おだく）物質**が流入すると，水質が悪化します。が，汚濁物質の量が少なければ，泥や岩などへの吸着や微生物が有機物を無機物に分解してくれるため，水質はもとに戻ります。このような作用を，**自然浄化（しぜんじょうか）**といいます。このようすをグラフにすると次のようになります。

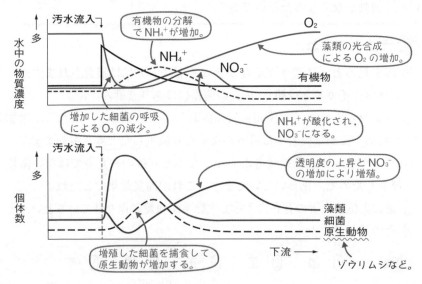

4 ですが，自然浄化の能力を超える量の汚濁物質が流入すると，**水中の酸素欠乏を引き起こし**，有機物が完全に分解できなくなり，水質は悪化してしまいます。

5 湖沼・海などの生産者(植物プランクトンや藻類など)にとって特に重要な栄養塩類の成分は**窒素(N)とリン(P)**です。
→ 窒素・リン酸・カリウムは肥料の3要素と呼ばれる。
これらが少ない湖を**貧栄養湖**，窒素やリンが豊富に含まれている湖を**富栄養湖**といいます。

6 貧栄養湖にNやPが大量に流入し**富栄養化**が進むと，水面近くの**植物プランクトン**が異常増殖し，水面が濃い緑色に染まります。これを**水の華(アオコ)**といいます。同様の現象が湾や内海で起こると，海面がプランクトンで赤褐色になる**赤潮**が発生します。

7 異常増殖した植物プランクトンが魚介類のえらに付着して窒息死させたり，植物プランクトンの遺体を分解する際に大量の酸素が使われて，水中の酸素不足を引き起こし，生態系のバランスを崩してしまいます。

8 **DDT**(かつては大量に使用されていた殺虫剤)や**有機水銀**(かつて化
→ 現在日本では製造・輸入が禁止されている。
学工場の廃水に含まれていた無機水銀が海中で変化し**水俣病**の原因と
→ 汚染された魚を食べた人々が神経を侵され知覚や運動のさまざまな障害を負った。
なった)などは生体内で分解されにくく，脂肪やタンパク質と結びつきやすく排出されにくいため，体内に**蓄積**してしまいます。このように体外環境よりも物質が高濃度で蓄積する現象を**生物濃縮**といいます。

9 食物連鎖の過程で，**高次消費者ほど**より高濃度になった物質を取り込むことになるので，生物濃縮がさらに進み，高次消費者に大きな被害が及ぼされることになります。

農薬散布　●DDTの生物濃縮●

大気　降雨　土壌　川　地下水　海水　DDT

脂肪組織に
海水の10万~100万倍の濃度

卵殻がごく薄くなり
ふ化率・ひなの生存率低下

10 二酸化炭素(CO₂)やメタン(CH₄)，フロンなどは地球表面から放
├→ 水田やウシの腸内細菌がおもな発生源。
出される熱(赤外線)を吸収し，その一部が地表に戻って地表や大気の温
度を上昇させます。このような現象を**温室効果**といい，CO₂などの温
室効果の働きのある気体を**温室効果ガス**といいます。

11 近年，大気中の二酸化炭素濃度が増加し，地球の平均気温も上昇する
├→ 化石燃料の使用が最大の原因。
地球温暖化が問題となっています。その結果，海水の膨張，氷河の融
解などが起こり，海水面が上昇したり，さまざまな生物の生息環境が奪
われ，生息地域が変化しています。

12 人間の活動によって本来の生息場所から別の場所に移されて定着した
生物を**外来生物**といいます。**アメリカザリガニ，ウシガエル，セイタ
カアワダチソウ，セイヨウタンポポ**などは外来生物です。

13 外来生物のなかでも，移入先の生態系や人間の生活に特に大きな影響
を与える外来生物を**侵略的外来生物**といい，**特定外来生物**に指定さ
れた種は飼育・栽培や輸入，移動が禁止されています。

14 北米原産の**オオクチバス(ブラックバス)**や**ブルーギル**はおもに
├→ コクチバスという魚も同様に特定外来生物に指定されている。
1970年代に釣りの対象魚として意図的に放流された外来生物です。他
の魚類やその卵，水生昆虫，甲殻類などを捕食し，非常に繁殖力が強く，
侵入した各地の湖や沼で本来生息していた魚類が激減してしまいました。

15 ハブを駆除する目的で**フイリマングース**が沖縄本島(1910年)や奄美
大島(1979年)に導入されました。しかし，ハブとは行動時間が異なり
(ハブは夜行性，フイリマングースは昼行性)，フイリマングースはほと
んどハブを捕食せず，固有種で天然記念物のヤンバルクイナやアマミノ
クロウサギが捕食され，それらの個体数が激減しました。

16 いずれも人間の浅はかな行為により生態系のバ
ランスが崩れてしまった悪い例ですね。

では，問題で仕上げましょう！

┤ トライ！実力問題 44 ├

問 次の文の正誤を判断せよ。

① リンや窒素が大量に湖沼や海に流入すると富栄養化が起こり，特定の動物プランクトンが異常増殖する水の華（はな）や赤潮（あかしお）を引き起こす。

② 殺虫剤のDDTは生物体内への残留性が強く，低次の消費者ほど高濃度に濃縮される。

③ 二酸化炭素やメタン，フロンは温室効果ガスと呼ばれ，地球温暖化の原因と考えられている。

④ オオクチバスやブルーギルを放流したことによって，魚類の種類が増え，生態系が安定した。

⑤ 放射性物質なども，海に流入させれば薄まってしまうため，生態系への影響はない。

👍 **できましたね！**

① 富栄養化が起こった水域で異常増殖するのは**植物プランクトン**です。

② 一次消費者が摂取して濃縮したものを二次消費者が摂取し，さらに濃縮されたものを三次消費者が摂取…と続くので，**高次消費者ほど生物濃縮が進みます**。

③ その通りです。

④ 新しい生息場所には外来種の天敵や競争種が少ないので，外来種が一挙に増殖して，在来種が一方的に排除されてしまう危険性があります。オオクチバスやブルーギルの放流は，本来生息していた魚類などを激減させてしまいました。

⑤ とんでもない！！！たとえ環境中ではごく低濃度でも，排出されにくい物質の場合は**生物濃縮**が起こり，やがては高次消費者に大きな影響が及ぼされます（放射性物質については線量や半減期の長さによっても影響が異なります）。

正解 ① 誤 ② 誤 ③ 正 ④ 誤 ⑤ 誤

第3章 最重要ポイント
スピードチェック

最後の仕上げ！
がんばろう！

ポイントをチェック！

できたらチェック

答え

☐ ① 見かけの光合成速度が0になる光の強さを何というか。

① 光補償点

☐ ② ①の値は陰生植物では陽生植物にくらべると高いか低いか。

② 低い

☐ ③ 土壌で，落葉などが分解されてできた有機物に富む層を何というか。

③ 腐植土層

☐ ④ 熱帯多雨林と針葉樹林で③の層が厚いのは？

④ 針葉樹林

☐ ⑤ 次のなかから陽樹をすべて選べ。

a　アカマツ　　b　エゾマツ　　c　クスノキ
d　コナラ　　　e　ダケカンバ　　f　ブナ

⑤ a・d・e

☐ ⑥ 林冠を構成している高木が倒れるなどして生じた空白部分を何というか。

⑥ ギャップ

☐ ⑦ 世界のバイオームについて，図のア〜エのバイオームの名称を答えよ。

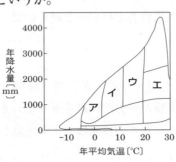

⑦ ア　針葉樹林
　 イ　夏緑樹林
　 ウ　照葉樹林
　 エ　雨緑樹林

☐ ⑧ ⑦の図のア〜エを代表する樹木を選べ。

a　ブナ　　b　シイ　　c　チーク
d　ガジュマル　　e　コメツガ
f　ヒルギ　　g　オリーブ

⑧ ア　e　　イ　a
　 ウ　b　　エ　c

☐ ⑨ 日本のバイオームに最も大きな影響を与える要因は何か。

⑨ 気温

⑩ 日本の中部地方の標高1000m付近で見られる
代表的な樹木を1つ選べ。

  a　クロマツ　　b　カシ　　c　ブナ
  d　トウヒ　　e　フタバガキ

⑩ c

⑪ 生物が非生物的環境に影響を及ぼすことを何と
いうか。

⑪ 環境形成作用

⑫ 栄養段階の上位に位置し生態系のバランス維持
に重要な役割を果たしている種を何というか。

⑫ キーストーン種

⑬ ある生物の増減が，その生物と直接食う・食わ
れるの関係にない生物に影響を及ぼすことを何
というか。

⑬ 間接効果

⑭ 人間の活動によって本来の生息地とは異なる場
所に移されて定着した生物を何というか。

⑭ 外来生物

⑮ ⑭のなかで，法律により輸入や売買，飼育など
が禁止されたものを特に何というか。

⑮ 特定外来生物

⑯ 次のなかから⑭であるものをすべて選べ。

  ア　オオクチバス　　イ　アマミノクロウサギ
  ウ　ヤンバルクイナ　エ　ブルーギル

⑯ ア・エ

⑰ 流入した有機物によって一時的に水質が悪化し
ても，微生物の働きなどにより再び水質がもと
に復元する現象を何というか。

⑰ 自然浄化

⑱ 特定の物質の濃度が外部の環境よりも体内で高
くなる現象を何というか。

⑱ 生物濃縮

⑲ 湖沼の富栄養化による植物プランクトンの異常
増殖で水面が濃い緑色になる現象を何というか。

⑲ 水の華（アオコ）

⑳ 内海の富栄養化により植物プランクトンが異常
増殖し，海面が赤褐色になる現象を何というか。

⑳ 赤潮

1 ピース完成問題・間違い探し問題

共通テストはこうやって攻略！

1 共通テスト特有の形式の1つが，「ピース完成問題」です。次の2点に注意するのがコツです。

注意点1：何の図を示しているのかを見抜く。

注意点2：完成した図を頭に描いて正解かどうかを確認する。

📝 早速次の例題で練習しましょう。

チャレンジ！実戦例題 1

図の I 〜 III に，下のピース ⓐ〜ⓕ のいずれかを当てはめると，光合成あるいは呼吸の反応についての模式図が完成する。図の I 〜 III それぞれに当てはまるピースを ⓐ〜ⓕ から1つずつ選べ。 (2021年本試)

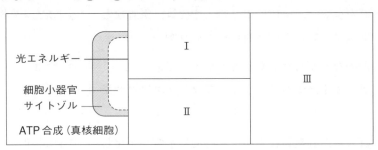

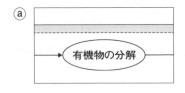

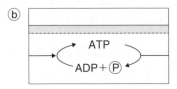

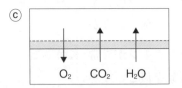

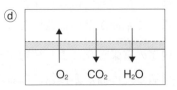

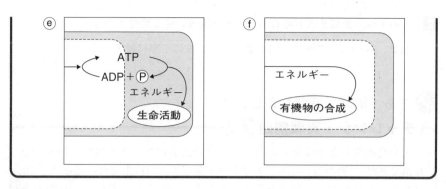

👍 できましたね！

まず何を示している図でしたか？

手がかりは一番左側のピースですね。「**光エネルギー**」という文字が見えます。ということから「**光合成**」を示している図だと判断できます。

光合成では光エネルギーを用いてまず**ATP**を合成するのでした（→p.18）。

よってⅠには@ではなく⑥が入ります。合成したATPのエネルギーを用いて有機物を合成するのですから，Ⅲには⑥ではなく①があてはまります。最後にⅡですが，光合成ではO_2を放出し，CO_2を吸収します。この時完成した図を頭に描きましょう。Ⅱでは上側が細胞内，下側が細胞外です。よって⑩ではなく©があてはまると判断できます。

念のため完成した図を確認すると，次のようになります。

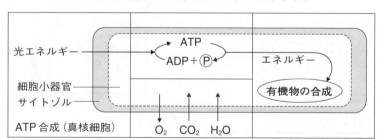

このような問題に対応するためには，日頃から，さまざまな図を「見たことがあるな〜」で終わらせず，自分で描いたりしながらしっかりと理解しておくことです。この『共通テストはこれだけ！』の中にもたくさん重要な図（たとえばp.26のDNAの模式図やp.88〜89の血糖濃度調節のしくみの図，p.114のバイオームの図などなど…）があります。ぜひ自分で描いてみてください！

正解　　Ⅰ…⑥　　Ⅱ…©　　Ⅲ…①

2 もう1つ，共通テスト特有の形式が「間違い探し問題」です。

これは，普通の正誤問題と同じように，慎重に丁寧に見ていくだけです。

さあ！例題で練習しましょう。

チャレンジ！実戦例題 2

　父が高校生のときに使ったらしい生物の授業用プリント類が，押入れか<ruby>押入<rt>おしい</rt></ruby>れから出てきた。「懐かしいなぁ。カビやバイ菌って，原核生物だったっけ。」と，プリントを見ながら，父が不確かなことを言い出した。私は，一抹の不安<ruby>一抹<rt>いちまつ</rt></ruby>を抱きながら何枚かのプリントを見てみたところ，そこには……。

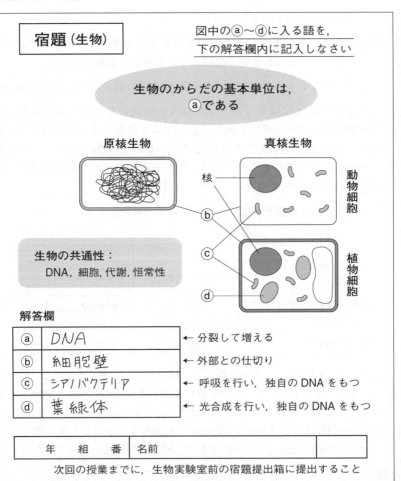

宿題 (生物)	図中のⓐ〜ⓓに入る語を，下の解答欄内に記入しなさい

生物のからだの基本単位は，
ⓐである

原核生物　　　　　　　真核生物

核

ⓑ

動物細胞

生物の共通性：
　DNA，細胞，代謝，恒常性

ⓒ

ⓓ

植物細胞

解答欄

ⓐ	DNA	← 分裂して増える
ⓑ	細胞壁	← 外部との仕切り
ⓒ	シアノバクテリア	← 呼吸を行い，独自の DNA をもつ
ⓓ	葉緑体	← 光合成を行い，独自の DNA をもつ

年　組　番	名前	

次回の授業までに，生物実験室前の宿題提出箱に提出すること

> **問** 図は，提出されなかった宿題プリントのようである。そのプリント内の解答欄ⓐ〜ⓓの書き込みのうち，**間違っている箇所をすべて選べ。**
>
> (2021年本試)

👍 押入れから出てきたプリントなんて設定が楽しいですね！

まず生物の体の基本単位は…もちろん**細胞**です！DNAではありません。(p.14の**23**をもう一度読んでおいてください！)

ⓑを見て，原核生物や植物細胞の一番外側を指しているから**細胞壁**だ，正解！と思ってはいけません。慎重に図を見ると，ⓑの線は動物細胞にも向かっています。動物細胞には細胞壁はありませんでした。ということは，ⓑが指しているのは細胞壁ではなく**細胞膜**のはずです。(p.9の**7**，p.10の**8**を確認しておきましょう！)

ⓒは，右側にある説明(「呼吸を行い」)から**ミトコンドリア**だとわかります。

ⓓは右側の説明(「光合成を行い」)から**葉緑体**だとわかります。

また，その説明がなくてもⓓの葉緑体のほうがⓒのミトコンドリアよりも少し大きい，ということからも判断できるようにしておきましょう！

え〜，そんなこと習ってないよ〜と思ったあなた！p.9の葉緑体の図の左側を見てみてください。ちゃんと書いてありますよ！

設問には登場しませんでしたが，このお父さんの発言にも誤りがあったのに気づきましたか？

カビの仲間(菌類)は，細菌などの原核生物の仲間ではありません。真核生物です(p.11の**14**を確認！確認！何度も確認！！)。「バイ菌」は細菌などの微生物(特に有害なもの)を指す言葉ですが，これを漢字で書いたときの黴という字はカビを意味します。

お父さん！『共通テストはこれだけ！』を使ってもう一度勉強し直して！って言いたくなりますね。

正解　　ⓐ，ⓑ，ⓒ

2 実験設定問題

共通テストはこうやって攻略！

1 共通テストでは，実験が与えられていて考察するだけでなく，どのような実験を設定すればよいか，逆にどのような実験は不要か，なども問われます。

2 このような問題では次の2点に注意しましょう。

注意点1：何を調べるための実験か（実験の目的）に注意する。

注意点2：対照実験はどれかに注意する。

では早速！

チャレンジ！実戦例題 3

転写と翻訳の過程を試験管内で再現できる実験キットが市販されている。この実験キットでは，まず，タンパク質Gの遺伝情報を持つDNAから転写を行う。次に，転写を行った溶液に，翻訳に必要な物質を加えて反応させ，タンパク質Gを合成する。タンパク質Gは，紫外線を照射すると緑色の光を発する。

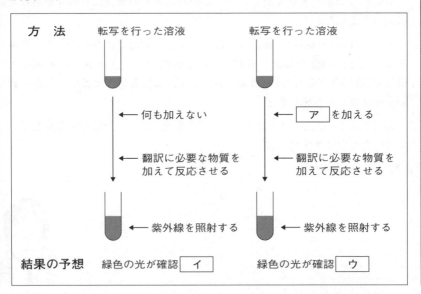

方法

転写を行った溶液 / 転写を行った溶液

← 何も加えない / ← ［ ア ］を加える

← 翻訳に必要な物質を加えて反応させる / ← 翻訳に必要な物質を加えて反応させる

← 紫外線を照射する / ← 紫外線を照射する

結果の予想　緑色の光が確認［ イ ］　　緑色の光が確認［ ウ ］

mRNAをもとに翻訳が起こるかを検証するため，この実験キットを用いて，前ページの図のような実験を計画した。図中の ア ～ ウ に入る語句の組み合わせとして最も適当なものを，①～⑥のうちから1つ選べ。

	ア	イ	ウ
①	DNAを分解する酵素	される	されない
②	DNAを分解する酵素	されない	される
③	mRNAを分解する酵素	される	されない
④	mRNAを分解する酵素	されない	される
⑤	mRNAを合成する酵素	される	されない
⑥	mRNAを合成する酵素	されない	される

(2021年本試)

👍 まず実験の目的はちゃんと確認しましたか？

『**mRNAをもとに翻訳が行われるかを検証するため**』と書いてありました。mRNAがあれば翻訳が行われ，mRNAがなければ翻訳が行われないということを確かめたいのです。

次に対照実験ですが，ここでは左側と右側がちょうど対照実験になっています。一方ではmRNAがあり，他方ではmRNAがないようにしてやればよいとわかります。一番上の試験管は『**転写を行った溶液**』です。すなわち転写が行われて「**mRNAが含まれている溶液**」です。ここからmRNAをなくしてやればいいのですから「**RNA分解酵素**」で処理してやればよいとわかります。

これで何も処理しなかった左側にはmRNAがあり，RNA分解酵素で処理した右側にはmRNAが残っていないことになります。mRNAがあれば翻訳が行われてタンパク質が合成されます。ここでは，紫外線照射で緑色の蛍光を発するタンパク質Gが合成されます。よって左側ではmRNAがあるためタンパク質Gが合成されて緑色の蛍光が見られ，右側ではmRNAがないので翻訳が行われず，タンパク質Gが生じないので，緑色の蛍光は観察されないはずです。

正解 ③

もう1問挑戦しましょう！

チャレンジ！実戦例題 **4**

　葉におけるデンプン合成には，光以外に，細胞の代謝と二酸化炭素がそれぞれ必要であることを，オオカナダモで確かめたい。そこで，次の処理 I ～ III について，下の表の植物体 **A** ～ **H** を用いて，デンプン合成を調べる実験を考えた。このとき，調べるべき植物体の組み合わせとして最も適当なものを，下の ① ～ ⑨ のうちから1つ選べ。

　処理 I ：温度を下げて細胞の代謝を低下させる。

　処理 II ：水中の二酸化炭素濃度を下げる。

　処理 III ：葉に当たる日光を遮断する。

	処理 I	処理 II	処理 III
植物体 **A**	×	×	×
植物体 **B**	×	×	○
植物体 **C**	×	○	×
植物体 **D**	×	○	○
植物体 **E**	○	×	×
植物体 **F**	○	×	○
植物体 **G**	○	○	×
植物体 **H**	○	○	○

○：処理を行う，×：処理を行わない

① **A，B，C**　　② **A，B，E**　　③ **A，C，E**

④ **A，D，F**　　⑤ **A，D，G**　　⑥ **A，F，G**

⑦ **D，F，H**　　⑧ **D，G，H**　　⑨ **F，G，H**

（試行テスト）

👍 目的を明確にすること！

　確かめたいものについて「処理を行う」「処理を行わない」両方の実験が必要です。

　まず目的は？『**葉におけるデンプン合成には，光以外に，細胞の代謝と二酸化炭素がそれぞれ必要であることを，オオカナダモで確かめたい**』ですね。

「光以外」で「代謝」と「二酸化炭素」が必要であることを確かめたいのですから，**光について調べる必要はありません！**

　すなわち処理Ⅲは不要なのです。

　次に対照実験ですが，p.79～80の「対照実験」の部分をもう一度，しっかりと，必ず，絶対に読み直しておきましょう。**原因となるもの以外はすべて同じ条件で実験するのが対照実験**でしたね。2つも3つも条件が違ってはいけません。

　「**代謝**」が必要であることを確かめるには「**代謝を低下させる**」処理Ⅰのみを行います（**E**）。もちろん対照実験としては処理Ⅰを行わない以外はすべてEと同じ実験が必要です。よって**E**と**A**の組み合わせですね。

　同様に「**二酸化炭素**」が必要であることを確かめるには「**二酸化炭素濃度を低下**」させる処理Ⅱのみを行います（**C**）。やはり対照実験として処理Ⅱを行わない以外はすべてCと同じ実験が必要です。よって**C**と**A**の組み合わせですね。

　実は最初の実験の目的で考えたように，**処理Ⅲは不要**なので，処理Ⅲを行っている**B，D，F，H**が含まれている選択肢はすべて誤りです。B，D，F，Hが含まれている選択肢をすべて消去すると，なんと，それだけで，**一瞬で③を選ぶこともできるのです！**

　やはり「**実験の目的**」をしっかり確認することが大事だとわかりますね！

正解　③

ヒントをしっかり
読み取ろう

共通テストはこうやって攻略！

1 共通テストの特徴として，会話問題があります。決して受験生を楽しませるための問題ではありません。ここでも次のことに注意しましょう。

注意点１：何をテーマに会話しているのかをまず確認する。

注意点２：空所のあるところ以外の人物の話にも注意する。

会話形式にすることでさまざまなテーマをまとめて扱うことができるため，分野を横断した問題が出題されます。頭を素早く切り替える訓練をしておきましょう。

では早速挑戦です！

チャレンジ！実戦例題 **5**

ミドリさんとアキラさんは，サンゴの白化現象について議論した。

ミドリ：サンゴの白化現象が起こるのは，サンゴの個体であるポリプ（図1）の細胞内に共生している褐虫藻が，高温ストレスなどの原因でサンゴの細胞からいなくなるからなんだって。

図1

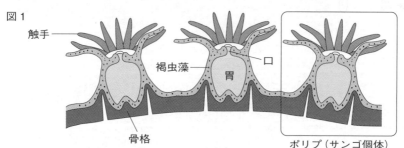

触手
褐虫藻
口
胃
骨格
ポリプ（サンゴ個体）

アキラ：えっ，褐虫藻は，単細胞生物だよね。

ミドリ：そのとおり。褐虫藻が共生しているサンゴの胃壁細胞の図（図2）を見つけたんだけど，褐虫藻には核も葉緑体もあるみたい。

アキラ：つまり，褐虫藻が共生しているサンゴの細胞は， ア だね。

ミドリ：そのとおりだね。ところで，褐虫藻が細胞からいなくなるとサンゴが死んでしまうのは，なぜなのかな。

アキラ：褐虫藻が共生したサンゴは，餌だけではなく，光合成でできた有機物も利用しているんだって。

ミドリ：へえ。つまり，サンゴは ｜ イ ｜ ということでよいのかな。

問1 会話文中の ｜ ア ｜ に入る記述として最も適当なものを1つ選べ。

① 真核細胞を細胞内に取り込んだ植物細胞

② 原核細胞を細胞内に取り込んだ植物細胞

③ 真核細胞を細胞内に取り込んだ動物細胞

④ 原核細胞を細胞内に取り込んだ動物細胞

⑤ 葉緑体を取り込んで，植物細胞に進化しつつある動物細胞

問2 会話文中の ｜ イ ｜ に入る文として最も適当なものを，1つ選べ。

① 同化をする能力をまったくもたないので，共生している褐虫藻が同化した有機物のみを利用している

② 異化をする能力をまったくもたないので，共生している褐虫藻が異化した有機物のみを利用している

③ 食物からも有機物を得ているが，これだけでは不足しており，共生している褐虫藻が同化した有機物も併せて利用している

④ 食物からも有機物を得ているが，これだけでは不足しており，共生している褐虫藻が異化した有機物も併せて利用している

⑤ 褐虫藻が持つ葉緑体を用いて同化を行い，有機物を得て利用している

⑥ 褐虫藻が持つ葉緑体を用いて異化を行い，有機物を得て利用している

(2021年追試)

図2

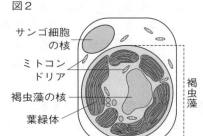

サンゴ細胞の核
ミトコンドリア
褐虫藻の核
葉緑体
褐虫藻

第4章 共通テスト実戦対策

 サンゴについてはつかめましたか？

問1 「サンゴ？褐虫藻？!知らないよ〜」とパニックにならず，まず会話のテーマを確認しましょう。サンゴはどういう生物(植物か動物か)で，必要な有機物をどのようにして得ているのか。これについて会話文の中で『サンゴの細胞の中に褐虫藻が共生』しているという話をしています。

次に，空所 ア のあるアキラ以外の人物（この場合はミドリ）の会話に注目します。するとミドリが『褐虫藻には核も葉緑体もある』と言っていますね。すなわち真核細胞です（①・③に絞れます）。さらに図2を見ましょう。サンゴの細胞の部分には葉緑体がありません。細胞壁もありません。また，図1で口や胃があることからもサンゴは動物ですね（③が正解！）。

問2　今度は空所 イ のあるミドリ以外の人物（今度はアキラ）の会話に注目します。すると，アキラが『サンゴは，餌だけではなく光合成でできた有機物も利用している』と言っています。サンゴはちゃんと餌を食べている＝食べ物から有機物を得ています（③・④に絞れます）。褐虫藻には葉緑体があり光合成＝同化を行います（③が正解！）。

正解　　問1　③　　問2　③

✎ その調子でもう1問！

┤チャレンジ！実戦例題6├

アスカさんとシンジさんは，病院の待合室で薬の投与法について議論した。

アスカ：薬は口から飲むものが多いけど，目薬のように表面から直接だったり，注射だったり，色々な投与法があるよね。

シンジ：糖尿病の薬として使うインスリンは注射だね。

アスカ：そうね。インスリンはタンパク質の一種だから，口から飲むと ア からなんですって。

シンジ：ハブに咬まれたときに使う血清も注射だよね。

アスカ：その血清は，ハブ毒素に対する抗体を含んでいるから，毒素に結合して毒の作用を打ち消すのよね。

シンジ：じゃあ，毒素の作用を完全に打ち消すためには，日をおいてもう一度血清を注射した方がいいのかなあ。

問1　会話文中の ア に入る文を1つ選べ。

①効果が強くなりすぎる　　②抗原抗体反応で無力化されてしまう

③分解も吸収もされずに体外に排出されてしまう

④吸収に時間がかかりすぎる　　⑤消化により分解されてしまう

問2　下線部について，ハブに咬まれた直後に血清を注射した患者に，40日後にもう一度血清を注射したとき，ハブ毒素に対してこの患者が産生する抗体の量の変化を示すグラフを1つ選べ。　　　　　　　（試行テスト）

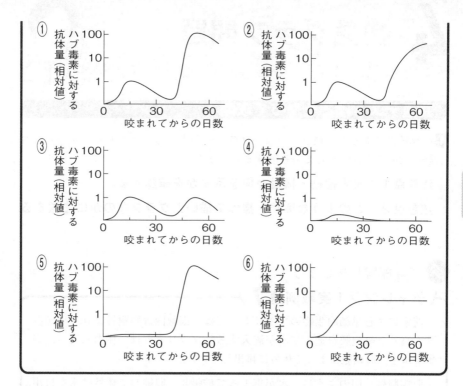

👍 ホルモンの話と免疫の話が登場する分野横断型の問題です。

問1 ここでは ア の空所の直前にヒントが書いてありました。『**インスリンはタンパク質の一種だから**』です。タンパク質を口から入れると，消化酵素によって最終的にはアミノ酸にまで分解されてしまうので，もうインスリンとしての効果はなくなってしまうのです。

問2 非常に間違えやすい問題なので注意しましょう！

1回目に抗原を注射して，2回目に同じ種類の抗原を注射したのであればp.72で学習したようなグラフ(①)になります。

でも，ここではハブに咬まれた人に**血清**を注射しています。p.77でも学習しましたが，問題文にも書いてあります。『**その血清は，ハブ毒素に対する抗体を含んでいる**』，そして『**40日後にもう一度血清を注射**』したのです。

すなわち2回とも注射したのは抗原ではなく抗体なので，ハブ毒素に対する抗体の産生はほとんど起こりません。よって④となります。

正解 問1 ⑤ 問2 ④

4 初見グラフ問題

共通テストはこうやって攻略！

1 教科書にまったく載っていないグラフが登場することがあります。でも冷静に次のことに注意して読み解きましょう！

注意点1：まず縦軸・横軸が何を示すかを確認する。

注意点2：どのような実験・操作で描いたグラフなのかに注意する。

✎ では練習しましょう！

⊢ チャレンジ！実戦例題 7 ⊢

　淡水にすむ単細胞生物のゾウリムシでは，細胞内は細胞外よりも塩類濃度が高く，細胞膜を通して水が流入する。ゾウリムシは，体内に入った過剰な水を，収縮胞によって体外に排出している。

　収縮胞は，図のように，水が集まって拡張し，収縮して体外に水を排出することを繰り返している。ゾウリムシは，細胞外の塩類濃度の違いに応じて，収縮胞が1回あたりに排出する水の量ではなく，収縮する頻度を変えることによって，体内の水の量を一定の範囲に保っている。

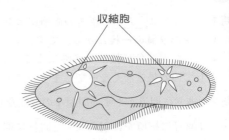

収縮胞

　ゾウリムシの収縮胞の活動を調べるため，実験を行った。予想される結果のグラフとして最も適当なものを，次ページの図①〜⑤のなかから1つ選べ。

拡張　　　　　収縮
水が集まる ⟸⟹ 水を排出する

実験 ゾウリムシを0.00％（蒸留水）から0.20％まで濃度の異なる塩化ナトリウム水溶液に入れて，光学顕微鏡で観察した。ゾウリムシはいずれの濃度でも生きており，収縮胞は拡張と収縮を繰り返していた。そこで，1分間あたりに収縮胞が収縮する回数を求めた。

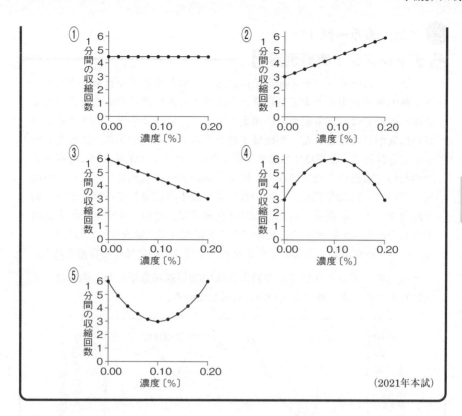

（2021年本試）

👍 **グラフの縦軸横軸，そしてどのような実験かに注意できましたか？本文のヒントが発見できましたか？**

　グラフの横軸は外液の塩類濃度，縦軸は収縮胞の収縮回数ですね。外液の塩類濃度を変えて，収縮胞の収縮回数を調べる実験をしています。

　収縮胞って何⁈ と焦らなくてもちゃんとヒントがありました。『**体内に入った過剰な水を，収縮胞によって体外に排出している**』です。

　p.101の **10** のように，周囲の塩類濃度が低いほど体内に入ってくる水も多くなります。そのとき収縮胞が働いて過剰な水を体外に排出するのです。

　よって濃度が低い溶液にいるゾウリムシほど収縮胞の収縮回数が多くなるはずです。答えは③となります。

正解　　③

では，もう一問‼

チャレンジ！実戦例題❽

　アフリカのセレンゲティ国立公園には，草原と小規模な森林，そして，ウシ科のヌーを中心とする動物群から構成される生態系がある。この国立公園の周辺では，18世紀から畜産業が始まり，同時に牛疫という致死率の高い病気が持ち込まれた。牛疫は牛疫ウイルスが原因であり，高密度でウシが飼育されている環境では感染が続くため，ウイルスが継続的に存在する。そのため，家畜ウシだけでなく，国立公園のヌーにも感染し，大量死が頻発していた。1950年代に，一度の接種で生涯牛疫に対して抵抗性がつく効果的なワクチンが開発された。1950年代後半に，そのワクチンを国立公園の周辺の家畜ウシに集中的に接種することによって，家畜ウシだけでなく，ヌーにも牛疫が蔓延することはなくなり，牛疫はこの地域から根絶された。

　そのため，図のようにヌーの個体数は1960年以降急増した。図には，牛疫に対する抵抗性を持つヌーの割合も示している。

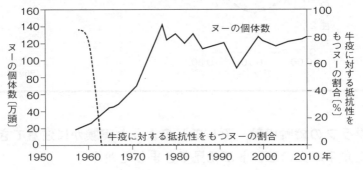

問　下線部に関連して，ワクチンの世界的な普及によって，2001年以降，牛疫の発生は確認されておらず，2011年には国際機関によって根絶が宣言された。牛疫を根絶したしくみとして最も適当なものを，次の①〜④のうちから1つ選べ。

① 全てのウシ科動物が，牛疫に対する抵抗性を持つようになった。

② ワクチンの接種によって，牛疫に対する抵抗性を持つ家畜ウシが増えたため，ウイルスの継続的な感染や増殖ができなくなった。

③ ワクチンの接種によって，牛疫に対する抵抗性がウシ科動物の子孫にも引き継がれるようになった。

④ 接種したワクチンが，ウイルスを無毒化した。

（2021年本試）

👍 どのような操作が行われたのか，グラフに何が示されているか，わかりましたか？

　本文より，ヌーも家畜ウシもウシ科に属することがわかります。そしてワクチンを接種したのは『**家畜ウシだけ**』です。でもグラフに書いてあるのは『**ヌー**』全体の個体数(実線)と，牛疫に抵抗性を持つ『**ヌー**』の割合(破線)です。

　1960年代半ば以降牛疫に抵抗性を持つ『ヌー』が存在しなくなり，そのあたりから『ヌー』の個体数が急増しています。これを「抵抗性を持つヌーがいなくなったから個体数が増加した」と考えてしまうと意味不明になります。

　ヒントはすべて本文にあります。下線部の前後に注目しましょう。

　『**牛疫はこの地域から根絶された**。**そのためヌーの個体数が急増した**』のです。ヌーの個体数が急増したのは**牛疫が根絶されたから**なのです。

　因果関係を図解すると次のようになります。

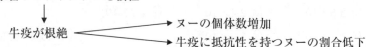

　では，選択肢を検討しましょう。グラフより1970年以降牛疫に抵抗性を持つ『ヌー』は存在していません。よって選択肢①や③は誤りです。

　ワクチンは『弱毒化した抗原』のことでしたね。抗体ではありません。抗原がウイルスを無毒化することはないので④も誤りです。

　ワクチンを接種されて『家畜ウシ』が牛疫に対して免疫を持った結果，牛疫ウイルスが増殖できなくなったため，『ヌー』も牛疫に感染しなくなったのです。②が正解となります。

正解　　②

5 計算問題

ポイントは，対応関係と単位！

共通テストはこうやって攻略！

1 生物基礎の共通テストでは，計算問題もよく出題されます。いずれも一見難しく感じる問題が多いのですが，何に注意していけばよいのか考えましょう！

✍ まず次の問題に挑戦です！

⌐チャレンジ！実戦例題 **9**

条件a〜cが成り立つとして次の設問に答えよ。

条件a ブタの組織片 10gには9.7mgのDNAが含まれている。

条件b ブタの精子の核には，約 2.5×10^9 塩基対のDNAが含まれている。

条件c 1mgのDNAは約 9.25×10^{17} 塩基対からなる。

問1 10gのブタの組織片から得られたDNAは，ブタの精子1個の核に含まれるDNA量の何倍か。最も適当な数値を ①〜⑤ より1つ選べ。

問2 1.5kgの肝臓に含まれる細胞数は何個か。最も適当な数値を ①〜⑤ より1つ選べ。

① 3.6×10^9 ② 2.4×10^{10} ③ 2.7×10^{11}

④ 5.4×10^{11} ⑤ 1.8×10^{12}

(2023年度追試・改)

👍 何を使って何を求めるか，整理できましたか？

次々と桁数の大きい数値が登場するとパニックになってしまいそうですね。でも冷静に考えていきましょう。こういった計算問題のポイントは「**対応関係をつかむ**」ということです。もう1つは「**単位**」に注意することです。

問1 条件cより　DNAが1mgであれば 9.25×10^{17} 塩基対
条件bより　ブタの精子のDNAは 2.5×10^9 塩基対

これらのことから，ブタの精子に含まれているDNAの質量を X mgとすると，次のような対応関係になっていることがわかります。

DNAの質量   塩基対

1 mg   → 9.25×10^{17} 塩基対

X mg   → 2.5×10^9 塩基対

$$X = \frac{2.5 \times 10^9 \text{塩基対} \times 1\,\text{mg}}{\text{液体量}\,9.25 \times 10^{17}\text{塩基対}} \fallingdotseq 2.7 \times 10^{-9}\,\text{mg}$$

よって組織片10gから得られたDNA量（9.7mg）は，ブタの精子1個の核に含まれるDNA量の $\dfrac{9.7\,\text{mg}}{2.7 \times 10^{-9}\,\text{mg}} \fallingdotseq 3.6 \times 10^9$ 倍だとわかります。

問2 肝細胞のような体細胞は，卵と精子が受精してできた受精卵が体細胞分裂を繰り返してできたものです。よって**肝細胞1個のDNA量は精子1個のDNA量の2倍**になります。ということは，肝細胞中のDNAの量は $2.7 \times 10^{-9} \times 2\,\text{mg} = 5.4 \times 10^{-9}$〔mg〕です。ブタの肝臓10gに含まれるDNA量は9.7mg（条件aより）なので，肝臓10g中の肝細胞の細胞数を Y〔個〕とすると，次のような対応関係が見えてきますね。

細胞数   DNA量

1個   → 5.4×10^{-9} mg

Y個   →   9.7 mg

$$Y = \frac{9.7\,\text{mg} \times 1\,\text{個}}{5.4 \times 10^{-9}\,\text{mg}} \fallingdotseq 1.80 \times 10^9 \text{個}。$$

あるいは問1の解答を使うと次のように考えることもできます。
肝臓10g中のDNA量は精子の 3.6×10^9 倍なので，体細胞のDNA量の $3.6 \times 10^9 \times \dfrac{1}{2} = 1.80 \times 10^9$ 倍。ここから，細胞数も 1.80×10^9 倍あると考えてもOKです。

ただし，これは肝臓10g中の細胞数です。求めるのは1.5kg（1500g）の肝臓中の細胞数です。求める細胞数を Z〔個〕とすると，次のような対応関係になります。

肝臓   細胞数

10g   → 1.80×10^9 個

1500g   → Z個

よって $Z = \dfrac{1.80 \times 10^9 \text{個} \times 1500\,\text{g}}{10\,\text{g}} = 2.7 \times 10^{11}$ 個となります。

「**対応関係をつかむ**」と意識するだけで，割と簡単に見えてきたのではないでしょうか？実は共通テスト生物基礎の計算のほとんどは，この対応関係がつかめれば解けるのですよ！

正解   **問1** ①   **問2** ③

もっと練習しましょう！

チャレンジ！実戦例題 **10**

実験 市販の乳酸菌飲料と培地を混合して，濁度の基準値が0，0.5，3.0，4.0，5.0に相当する乳酸菌の懸濁液をつくり，それぞれ1mLあたりに含まれる細胞数を計測したところ，表の結果が得られた。次いで，10mLの培地に0.1mLの乳酸菌飲料を加え，37℃で培養した。実験開始直後の試験管内の液体の濁度はほぼ0であったが，8時間後には乳酸菌が増殖し，3.6となった。

濁度	細胞数〔個/mL〕
0	0
0.5	1.47×10^8
3.0	9.05×10^8
4.0	1.18×10^9
5.0	1.52×10^9

　下線部で得られた培養液中の乳酸菌の総細胞数の概数として最も適当な数値を，次の①～⑥のうちから1つ選べ。

① 1.1×10^8 　② 3.6×10^8 　③ 1.1×10^9

④ 3.6×10^9 　⑤ 1.1×10^{10} 　⑥ 3.6×10^{10}

(2022年度追試)

👍 計算できましたか？

　表の濁度と1mLあたりの細胞数との間には比例関係が成り立っています。たとえば濁度5.0のデータを使うと，次のような対応関係になっています。

濁度	細胞数〔個/mL〕
3.6	X
5.0	1.52×10^9

$X = \dfrac{3.6 \times 1.52 \times 10^9 \, 個}{5.0} \fallingdotseq 1.1 \times 10^9 \, 個/mL$ です。でも「単位」に注意しましょう!! これは体積1mL中の細胞数です。問われている培地の体積は10mLなので，乳酸菌の総細胞数は，

　　$1.1 \times 10^9 \, 個/mL \times 10 \, mL = 1.1 \times 10^{10} \, 個$　となります。

正解　　⑤

次の問題で仕上げです！頑張りましょう！！

チャレンジ！実戦例題 **11**

ある体重5kgの動物が次の性質ⓐ〜ⓒを持つとして，問いに答えよ。

ⓐ 1つの細胞は，8.4×10^{-13}gのATPを持つ。

ⓑ 1つの細胞は，1時間あたり3.5×10^{-11}gのATPを消費する。

ⓒ 個体は，6兆個の細胞で構成される。

問1 この動物の1つの細胞において，ATPは1日に何回合成分解を繰り返したか。最も適当な数値を①〜④のうちから1つ選べ。

① 10 ② 100 ③ 1000 ④ 10000

問2 この動物1個体が1日に消費するATPの総重量はいくらになるか。最も適当な数値を①〜④のうちから1つ選べ。

① 200g ② 500g ③ 2000g ④ 5000g

(2020年度センター追試・改)

第4章 共通テスト実戦対策

注意深く，単位を合わせましょう！

問1 1つの細胞にATPは8.4×10^{-13}gしかありませんが，1時間で3.5×10^{-11}gのATPが消費されています。これはATPが消費（分解）されてもすぐに再合成され，繰り返し使われているからです。

すなわち$\dfrac{3.5 \times 10^{-11}}{8.4 \times 10^{-13}} \fallingdotseq 42$回合成と分解を繰り返していたことになります。

でも「単位」に注意ですよ！**これは1時間での値です。問われているのは1日なので，**42回/時間×24時間＝1008回となります。

問2 1つの細胞でATPが3.5×10^{-11}消費され，細胞数が6兆個（6×10^{12}個）あるので，3.5×10^{-11}g/個×6×10^{12}個＝2.1×10^{2}g

ただし！ただし！これは1時間での値です。**問われているのは1日なので，**2.1×10^{2}g/時間×24時間＝5040gになります。

くれぐれも「単位」に注意！！です。

正解　　**問1** ③　　**問2** ④

チャレンジ！実戦例題 12

DNAの抽出実験を行い，得られた白い繊維状の物質に含まれるDNA量を，試薬Xを用いて測定した。試薬XはDNAに特異的に結合し，青色光が照射されるとDNA濃度に比例した強さの黄色光を発する。図は，DNA濃度と黄色光の強さ（相対値）の関係を表したグラフである。

花芽10gから得られた白い繊維状の物質を水に溶かして4mLのDNA溶液をつくり，試薬Xを使って調べたところ，0.6（相対値）の強さの黄色光を発した。この実験で花芽10gから得られたDNA量〔mg〕の数値として最も適当なものを，後の①～⑧のうちから1つ選べ。

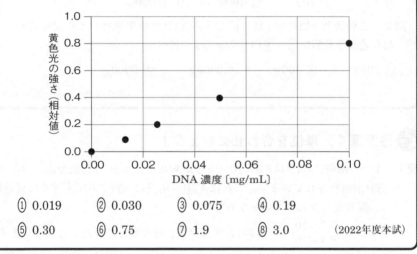

① 0.019　② 0.030　③ 0.075　④ 0.19

⑤ 0.30　⑥ 0.75　⑦ 1.9　⑧ 3.0　　（2022年度本試）

👍 何に注意するか，もうわかりましたね！！

まず与えられた5つの点を線で結んでみると，次のページに示したように，原点を通る一直線のグラフになります。すなわち，DNA濃度と黄色光の強さは**比例**の関係にあるのです。

そこで，黄色光の強さが0.6のときのDNA濃度をX〔mg/mL〕とし，値がはっきり読めるDNA濃度が0.10mg/mLのときの黄色光の強さ0.8に注目すると，次のような対応関係が成り立ちます。

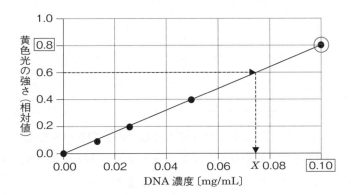

よって $X = \dfrac{0.10 \times 0.6}{0.8} = 0.075\,\mathrm{mg/mL}$ となります。

でも，「やった！③だ」と答えてしまってはダメですよ！

この値は単位（mg/mL）からもわかる通り1mLあたりの値です。求める値は花芽10gから得られた白い繊維状物質を水に溶かしたDNA溶液4mL中のDNA量です。

よって $0.075\,\mathrm{mg/mL} \times 4\,\mathrm{mL} = 0.30\,\mathrm{mg}$ となります。

単位！単位！単位！くれぐれも単位に注意！！です。

正解   ⑤

おつかれさま！
共通テスト本番も
おちついて解いていこう！

やった！最後までやり終えましたね。でも不安な部分は何度でもやり直しておきましょう。不安を1つ無くすたびに点数がアップしていきます。

最後に，**試験本番での心得七か条**です。

一つ　使われている材料，単位に印をつけて注意すること。

一つ　実験の目的をしっかり読み，問題文の中からヒントを探すこと。

一つ　グラフの縦軸・横軸を必ず確認すること。

一つ　正しいものを選ぶのか誤っているものを選ぶのか，必ず確認すること。

一つ　消去法もどんどん使って選択肢を絞ること。

一つ　最後の最後まであきらめずに何度も見直すこと。

一つ　自分の力を出し切ることだけを考えること！

最後の最後まで頑張ってください！！！ファイト！！

さくいん

*太数字は中心的に説明してあるページを示す。

た

□ 編集協力　南昌宏
□ デザイン　二ノ宮匡（ニクスインク）
□ 図版作成　藤立育弘
□ イラスト　日高トモキチ　よしのぶもとこ

シグマベスト
**共通テストはこれだけ！
生物基礎**

本書の内容を無断で複写（コピー）・複製・転載することを禁じます。また，私的使用であっても，第三者に依頼して電子的に複製すること（スキャンやデジタル化等）は，著作権法上，認められていません。

著　者　大森　徹
発行者　益井英郎
印刷所　中村印刷株式会社
発行所　株式会社文英堂
〒601-8121　京都市南区上鳥羽大物町28
〒162-0832　東京都新宿区岩戸町17
（代表）03-3269-4231